CW00739090

Scrum

Lo que necesita saber sobre esta metodología ágil para la gestión de proyectos

Índice

Introducción

Trabajar con Scrum puede llevar al éxito de su proyecto a nuevas alturas. Muchos gerentes de proyecto se preguntan si realmente es posible hacer más con menos. Puede que usted tenga las mismas preguntas corriendo por su mente. ¿Es realmente posible terminar los proyectos con menos recursos? ¿Es realmente posible hacer proyectos más manejables, más eficientes y más divertidos, con una única metodología de proyecto? La respuesta es: sí, sí y... Sí. En los diversos proyectos en los que me embarqué como director de proyecto o como miembro de un equipo, una cosa se hizo evidente: la metodología empleada por una organización tiene un impacto inmediato en los esfuerzos y resultados del equipo.

Como gerente de proyecto o aspirante a gerente de proyecto, su éxito es el éxito de su equipo; y viceversa. Nunca he visto a un profesional que no quisiera formar parte de un equipo de alto rendimiento y compartir sus triunfos. Los profesionales que alguna vez formaron parte de un equipo altamente eficiente y de alto rendimiento pueden identificarse con esto. En tales equipos, la energía colectiva es inmensa, lo que conduce a mejoras constantes en los productos en desarrollo. Los resultados sorprendentes no solo "caen del cielo", sino que son todos causa y efecto. Y si la causa y el efecto no se gestionan y canalizan adecuadamente, pueden retrasar o incluso bloquear el éxito

Sin duda, un equipo que sobresale en la cooperación, un equipo que fluye, es aquel que logra tremendos resultados con menos esfuerzo. Pero un equipo por sí solo no es suficiente en el mundo en continuo desarrollo en el que vivimos. Un equipo sin las herramientas, técnicas y el marco para tratar adecuadamente este dinamismo, es como un barco sin timón.

Afortunadamente, muchos visionarios, gerentes de proyectos y empresarios se han dado cuenta de que la forma tradicional de trabajar no es adecuada para las necesidades de hoy en día. Por lo tanto, han desarrollado nuevas formas innovadoras de abordar los proyectos de principio a fin, llamadas *metodologías ágiles.* Muchas empresas líderes, como Microsoft, Apple y Amazon, utilizan un enfoque ágil para abordar sus proyectos adecuadamente. Estas grandes empresas tecnológicas son conscientes de que los continuos desarrollos tecnológicos hacen necesario– quizás casi vital– un enfoque más flexible para manejar los proyectos y poder sobrevivir. Hay varias metodologías ágiles presentes hoy en día, como Scrum, Kanban y XP. Scrum es el método o marco de trabajo más popular, y este libro dejará en claro cómo puede implementarlo en su organización o empresa para lograr un amplio margen de éxito en el proyecto.

Con Scrum, se le da un marco con el que puede desarrollar varios productos que forman parte de un proyecto. El marco y la metodología de Scrum comenzaron siendo utilizados para proyectos de IT exclusivamente. Hoy en día, las cosas son diferentes. Scrum se utiliza para todo tipo de proyectos: desde transporte hasta agricultura y proyectos de ingeniería. ¿No es increíble? Por lo tanto, estoy convencido de que aprender sobre Scrum será de gran utilidad para usted y su equipo, no importa en qué campo se encuentre.

El enfoque de Scrum hace que los competidores que utilizan métodos tradicionales parezcan caracoles, luchando día tras día para hacer avanzar el proyecto más rápidamente. Al asumir los proyectos de forma reiterativa, se optimiza la previsibilidad de los resultados, se mitigan los riesgos—o a veces incluso se eliminan—y se hace más eficiente a usted y a su equipo. Todo esto está en línea con los tres pilares principales en los que se basa Scrum, es decir, la transparencia, la inspección y el ajuste/adaptación.

En este libro, profundizamos en la forma más actualizada de implementar el Scrum. Eso puede sonar abrumador, pero no se asuste. Simplificaré las cosas tanto como sea posible y cubriré los aspectos y procesos esenciales de Scrum de una manera fácil de entender, incluso para los principiantes. Y no se preocupe, este libro también incluye algunos aspectos más avanzados de Scrum para los gerentes de proyectos más experimentados.

Con mi experiencia en la gestión de diferentes equipos en varias industrias, me he enfrentado a muchos fracasos y contratiempos en mi trabajo como director de proyectos. La verdad es que no soy un gerente "nato" para nada. Pero con trabajo duro, con consistencia y determinación, me he distinguido de la mayoría de los jefes de proyecto. Hacerlo era imposible sin el uso de Scrum.

Quiero ayudar a otros a hacer lo mismo. Por lo tanto, me propuse escribir este libro sin rodeos, pero con información precisa y práctica. Información que se puede aplicar desde el principio para ayudarle a avanzar como gerente de proyectos. Además, el libro incluirá varios ejemplos, consejos de expertos y estudios de casos reales para dar una imagen más precisa de la realidad que rodea a Scrum.

En la primera sección de este libro, comenzamos dando una explicación detallada sobre cómo puede comenzar con Scrum. Explicamos qué es y por qué lo necesita. La segunda sección describe el proceso de Scrum de principio a fin. Aprenderá sobre los equipos de Scrum, cómo descomponer un proyecto en Scrum, los artefactos de Scrum y mucho más. En la tercera sección, les entrego las herramientas de Scrum necesarias, consejos y otros elementos esenciales para que sus proyectos tengan éxito. Esto se hace mirando las métricas de Scrum, cómo sobresalir en un rol específico de Scrum, errores comunes y herramientas de software que puedes usar.

Entonces, ¿qué está esperando? ¡Lea y apártese de la multitud!

Capítulo 1: Gestión del Proyecto: Pasado y Presente

Cada innovación tiene su historia. Lo mismo ocurre con las metodologías para gestionar proyectos. Hoy en día, más organizaciones adoptan lo que llamamos *metodologías ágiles* para la gestión de proyectos. Cuando le pides a alguien que describa el término *ágil*, es probable que obtenga múltiples respuestas diferentes. Por lo tanto, es útil echar un vistazo a los orígenes de esta forma ágil de trabajar. Eso es precisamente lo que haremos en este capítulo. Además, aprenderá más acerca de varios conceptos relacionados con los ágiles, sus componentes, sus múltiples beneficios y mucho más.

Los Orígenes de las Metodologías Ágiles

Antes de que las organizaciones practicaran las metodologías ágiles, empleaban el llamado "método en cascada" para llevar a cabo los proyectos. Winston Royce mencionó por primera vez este método en cascada en su artículo, *Gestión del desarrollo de grandes sistemas de software*, que publicó en 1970. Royce propuso un diagrama para el desarrollo de software, similar al que se ve a continuación:

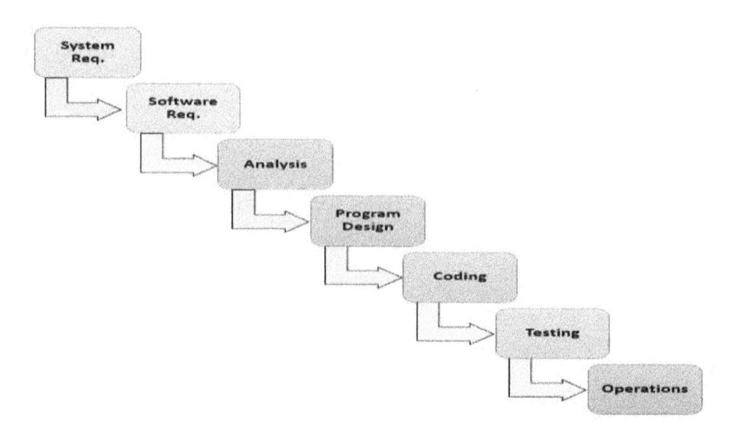

En el gráfico, se ven las diversas fases del desarrollo del software. Empezando con los requisitos del sistema y los requisitos del software, fue posible llegar a un análisis. Después, fue posible diseñar el programa basado en este análisis. Cuando el diseño estaba listo, era el momento de empezar a codificar y probar el software. Finalmente, el software iría a operaciones y sería utilizado. Como se ve, cada fase fluye en una nueva, sin volver a una fase anterior, similar a una cascada. Lo que encontré particularmente interesante de notar es que el mismo Royce no veía este método como óptimo. Esto se hizo evidente en su trabajo cuando describió un enfoque más repetitivo y paso a paso para atravesar estas fases (es decir, ágil).

Hay una razón por la que el método pasa por las fases como una cascada. Recuerden que, en los años 50 y 60, ¡los ordenadores eran tan grandes como una casa! Tenían varias partes intrincadas con las que era difícil trabajar y necesitaban profesionales para cambiar cualquiera de estas partes. Estas computadoras eran muy complejas y consumían mucho tiempo para desarrollarlas. Por lo tanto, el método en cascada se introdujo para hacer frente a este esfuerzo. Hay numerosos desafíos involucrados en la práctica de este método. En el método en cascada, hay personas especializadas por fase. Piense en los analistas de negocios, arquitectos y diseñadores, desarrolladores, especialistas en control de calidad y especialistas en infraestructura que hicieron el despliegue. El problema es la brecha entre estas actividades y la necesidad de transferir información entre estas fases.

Se desarrolló mucha documentación a través de cada fase. El analista de negocios comienza con la documentación y la pasa al diseñador que hace los cambios. El análisis y el diseño juntos son lo que llamamos "Gran Diseño al Frente" o, en resumen, BDUF. Cuando el diseño está listo, el documento se pasa a los desarrolladores. Cuando terminan con el producto, lo entregan a los testers. Después, lo entregan al personal de IT que ayuda a los clientes a implementar el software.

Lo que suele suceder es que cuando los desarrolladores se ocupan del programa tal como se describe en la documentación, se dan cuenta de que lo que tenían que generar no funcionaba. Entonces era necesario hacer un cambio. Y este cambio no se encontró en la documentación hecha anteriormente. Ahora tenemos código que no coincide con la documentación—la misma documentación que les tomó a los analistas y desarrolladores mucho tiempo para elaborar. Por lo tanto, tenía que haber una manera de volver a esta documentación y mejorarla, eliminar partes o añadir nuevos elementos.

Además, dentro del método en cascada, generalmente se utilizan *hitos.* Estos se detallan con una descripción y la fecha en la que deben ser alcanzados. Sin embargo, en la práctica, es un desafío mantenerse siempre dentro del plazo especificado. A veces se necesita más tiempo, lo que hace que cada hito definido sea inexacto. Además, los profesionales en estas fases no hablaron con los otros profesionales que no estaban en relación directa con ellos. Por ejemplo, no hay una comunicación clara entre los testers y los diseñadores o analistas y el personal de IT.

Debe quedar claro que este método está lejos de ser el ideal en la era digital rápidamente cambiante en la que vivimos hoy en día. Afortunadamente, hay un nuevo enfoque más ágil para tratar los proyectos. El nuevo procedimiento fue creado principalmente en respuesta a los desarrollos de las computadoras en los años 80 y 90. Las computadoras se volvieron más fáciles de emplear, y el Software como Servicio (SaaS) y la Internet empezaron a estar disponibles. En 1986, Hirotaka Takeuchi e Ikujiro Nonaka escribieron un artículo en la Revista de Negocios de Harvard titulado *El Juego de Desarrollo de Nuevos Productos.* En este artículo, profundizaron acerca de las fases del método en cascada, a saber: análisis, diseño, desarrollo, prueba y finalmente despliegue. Además de dar más detalles sobre los pasos, señalaron algo muy innovador. Demostraron que estas fases no solo funcionan por sí mismas. De hecho, las etapas que propusieron mostraron que las fases deberían tener una superposición muy clara. Así, la información se comunicaba mejor entre los profesionales de cada etapa. Por ejemplo, el analista comprueba activamente el diseño e incluso mira el desarrollo, de vez en cuando. En el documento se sugiere que los analistas deberían estar presentes con mayor frecuencia durante la fase de desarrollo, de modo que incluso al final de la fase de desarrollo, siga habiendo un representante de la empresa (analista) que pueda entregar la información adecuada.

Takeuchi y Nonaka describieron este proceso como un "scrum". Esto se derivó del término del Rugby, cuando todos los jugadores están unidos. Al estar unidos, todos trabajan hacia un objetivo común: tratar de empujar la pelota por el campo de juego. Esto simboliza un equipo caminando juntos a través de las fases, hasta el final. Además, a partir de este documento, se desarrollaron y mejoraron muchos procesos, métodos y marcos de trabajo, como el Scrum de Jeff Sutherland y Ken Schwaber, la Programación Extrema (XP) de Kent Beck, el Kanban de Taiichi Ohno, y muchos más.

Avanzando rápidamente al siglo XXI, los actuales "líderes del pensamiento" han llegado a la conclusión de que se esfuerzan por alcanzar objetivos similares. Están tratando de alcanzar los mismos objetivos para hacer los procesos más eficientes, efectivos y valiosos. Descubrieron que mucho de lo que estaban haciendo en sus métodos tiene, de hecho, una conexión con otros métodos. Los métodos estaban más interconectados de lo que los líderes de pensamiento imaginaban. Por lo tanto, debido a que muchos de los valores centrales de estas metodologías eran los mismos, se unieron para dar vida a lo que se llama *El Manifiesto Ágil*, publicado en 2001. Este manifiesto introdujo en el mundo de la gestión de proyectos los valores que tanto necesitaba. Esboza que los individuos y las interacciones son más importantes que los procesos y las herramientas. Pero los procesos y las herramientas todavía tienen un lugar; simplemente no deberían intervenir en, por ejemplo, la comunicación con las partes interesadas o los profesionales de un proyecto. Además, el manifiesto valora más el software de trabajo que el hecho de tener una documentación completa. No me malinterprete, la documentación sigue teniendo su lugar, pero la práctica real y pura de trabajar con el software tiene ventaja. La colaboración del cliente es más importante que la negociación del contrato. A veces las cosas cambian. Por lo tanto, debemos ser capaces de tener alguna forma de dinamismo en los contratos; esto no es posible sin una adecuada colaboración del cliente. En un enfoque ágil, damos más valor a responder al cambio que a seguir un plan estricto. Sin duda, el adagio, "Si no planeas, planeas fracasar", suena claro en nuestras mentes, pero la planificación no debe ser demasiado rígida. La rigidez es lo que impide a las organizaciones moverse rápidamente a través de los proyectos. Moverse rápidamente no es posible sin la flexibilidad para responder a los cambios rápidamente.

A veces es necesario encontrar un enfoque más equilibrado entre los valores. En varias organizaciones, las personas utilizan herramientas como Zoom o Skype para empresas para hacer posible la comunicación con trabajadores remotos o partes interesadas externas, utilizando la tecnología para apoyar un enfoque en los individuos y las interacciones. Por lo tanto, se deben evitar los extremos. Cada proyecto debe ser evaluado individualmente para determinar cuánto debe pesar cada valor.

Los Conceptos Ágiles Clave

Para desarrollar una *mentalidad ágil* correcta, usted debe entender varios conceptos ágiles. El primer concepto que debería conocer dentro del enfoque ágil son los **bucles de retroalimentación cortos**. En el método en cascada, un cliente puede no ver ningún producto durante meses, tal vez *años*. Si resulta que el cliente quería una característica diferente o tal vez un producto completamente diferente, es demasiado tarde. Un concepto clave dentro de ágil es hacer llegar la información al cliente tan pronto como sea posible, para que pueda encontrar la manera de avanzar en el menor tiempo posible. Por lo tanto, es posible arreglar las cosas mientras el proyecto está en marcha. Lo mismo ocurre con los profesionales, como los desarrolladores y testers, o incluso los analistas de negocios. Con una mentalidad ágil, cada miembro del equipo piensa "en grande sobre el producto final, pero trabajan "a pequeña escala", de modo que pueden caer y volver a levantarse rápidamente y aprender de estos pasos en falso cada vez.

El segundo concepto es la llamada forma **justo a tiempo** para reunir los requisitos y terminar el diseño. A menudo, el desarrollo de software se compara con la construcción de una casa. Honestamente, no es nada como construir una casa. No hay necesidad de tener planos completos que describan cada aspecto intrincado del diseño de la A a la Z. Lo que he visto en la práctica es que el desarrollo funciona exponencialmente mejor cuando se trabaja a partir de una especie de "lista de tareas pendientes", tan simple como puede sonar.

El tercer concepto crucial en el ágil es la **entrega de valor incremental**. No podemos crear un producto completamente desde el principio. Por lo tanto, fabricamos varias partes de valor a lo largo del camino, trabajando hacia el producto final. Después, estos productos incrementales pueden ser discutidos con los clientes u otros interesados. Su retroalimentación puede ser acumulada, permitiendo mejorar esta parte del producto final. El objetivo es tener productos incrementales que estén listos para ser lanzados al consumidor. Esto significa, para el desarrollo de software, que está integrado y documentado minuciosamente, que los programadores han terminado el código y que el programa se prueba y se despliega.

El cuarto concepto es el **ritmo de trabajo mantenible**. Probablemente ha experimentado proyectos en los que las cosas empiezan fácil, trabaja un poco, y luego se encuentra que una fecha límite se acerca pronto, lo que hace que los empleados trabajen más de 80 horas semanales de repente. Con el ágil, hay más control sobre el esfuerzo de los empleados. Este esfuerzo debe ser igual durante todo el proyecto tanto como sea físicamente posible. De esta manera, los empleados no se queman, y entregan resultados mejores y más predecibles. En resumen: hay que mantener un ritmo que los empleados puedan seguir para obtener los mejores resultados de sus proyectos.

Dentro de lo ágil, hay un concepto de **jerarquía Lean y equipos auto-organizados,** y este es el quinto concepto que trataré. Esto significa que unas pocas personas toman decisiones en lugar de tener una jerarquía extremadamente lenta, donde demasiadas personas tienen que decir algo antes de que se tome una decisión. Hacerlo de la manera *Lean* significa que toma significativamente menos tiempo cuando las decisiones se llevan a cabo.

En cuanto a las decisiones para proyectos específicos, los equipos auto-organizados son esenciales. Ahí está la idea central de que el equipo está en la mejor posición para tomar decisiones concretas para continuar el proyecto. Sin equipos auto-organizados, normalmente hay un gerente que toma estas decisiones mientras no son conscientes de los detalles intrincados y cruciales dentro de un proyecto. Potenciar a los equipos auto-organizados y permitirles tomar decisiones ayuda a obtener mejores resultados.

Valores como el **respeto, la colaboración, la confianza, el coraje y la transparencia** son esenciales dentro de las metodologías ágiles. Estos le dan la "mentalidad ágil" para apoyar los proyectos en curso y son fundamentales para la **ejecución continua**, que es el sexto concepto. Cuando los directivos confían en sus equipos auto-organizados y hay un diálogo bastante frecuente, esto hace que los proyectos sean muy transparentes. La entrega en cortos bucles de retroalimentación hace que la entrega continua sea un concepto crucial. Cada vez que el equipo construye algo, puede pasar de la construcción y el desarrollo al despliegue lo más rápido posible. Esto viene en forma de integración continua. Por ejemplo, tan pronto como se escribe un código, este es compartido con otros desarrolladores a través de un servidor.

Vivimos en una época en la que la mayoría de los proyectos todavía "manejan" el cambio. En Ágil, en su lugar **abrazamos el cambio**, y luego tratamos de manejarlo. Este es el séptimo concepto. Especialmente para los clientes, siempre tenemos que estar dispuestos a cambiar el producto si no es satisfactorio. Por lo tanto, el cambio se convierte en una parte integral de todo el proyecto, haciendo que sea mejor abrazar el cambio que gestionarlo. La inspección y la adaptación son necesarias para cualquier enfoque ágil, ya sea Scrum, Kanban o XP. Esto ocurre en las herramientas, pero también en los productos incrementales que se entregan e incluso en el propio equipo. Estos enfoques son marcos de trabajo que exigen su aportación. Debe llenarlos con lo que tenga sentido para usted. De lo contrario, abrazar el cambio será un camino largo, pobre y cansado.

Scrum: Cómo empezó todo

Scrum fue fundada por Jeff Sutherland y Ken Schwaber hace aproximadamente 25 años. Después de su carrera militar, Jeff estudió medicina en la Universidad de Colorado. En la universidad, desarrolló un interés en algo totalmente diferente a la medicina: la informática. Schwaber, por otro lado, comenzó su carrera temprano como ingeniero de software. Ambos caballeros tenían la visión de un método más rápido, más fiable y más efectivo para crear softwares. Estaban frustrados con las ineficiencias presentes en el método en cascada y trabajaron con esfuerzo para encontrar una nueva forma de abordar los proyectos.

Sutherland, en su libro *Scrum: El Arte de Hacer el Doble del Trabajo en la Mitad del Tiempo,* da ejemplos de estas ineficiencias. Por ejemplo, tomemos el proyecto de digitalización llevado a cabo por el FBI en 2006 para un nuevo programa llamado Sentinel. El programa tenía como objetivo deshacerse de los procesos en papel para hacer espacio para las operaciones digitales. ¿Alguna idea de cuánto costaría el proyecto? La inmensa suma de 451 millones de dólares. De acuerdo con los contratistas, todo el programa, los sistemas y los procesos subyacentes estarían en funcionamiento en algún momento de 2009. Avanzamos rápidamente unos años más tarde, de 2006 a 2010, y no había ningún programa de trabajo, y la considerable suma de 451 millones de dólares ya se había gastado. En los meses siguientes, el costo estipulado del proyecto fue superado con creces, y los gastos del contratista no parecieron detenerse. Pero no había otra opción, porque el proyecto ya estaba a mitad de camino, y tenía que continuar. Bueno, al menos eso es lo que pensaban. Pensar de esta manera es un error. Se basa en la premisa de que debemos continuar con un proyecto sin importar lo que suceda porque ya hemos invertido una cantidad significativa de tiempo, dinero y energía. Esto se llama *la falacia del costo hundido.*

Para resumir, el equipo contratado por el FBI se mantuvo en ello y estimó que el proyecto solo debería tomar unos seis a ocho años más. Oh sí, ¿y mencioné que se necesitaban 350 millones de dólares adicionales del dinero de los contribuyentes? Aunque ingenieros brillantes, gerentes y analistas trabajaron sin descanso en el proyecto, las cosas no funcionaron. Su proceso implicó las mismas fases mencionadas en el método en cascada. Así que reunían los requisitos, analizaban estos requisitos, hacían un plan para el contratista y añadían detalles con varias características necesarias para el programa. Un grupo de profesionales muy talentosos de varios campos trabajó durante días, semanas y meses sin parar. Después de que el plan estaba listo, pasaron más días, semanas y meses planificando el proceso de implementación del plan. Para dejarlo claro, se aseguraron de que toda la documentación fuera fácilmente accesible, estuviera bien diseñada e incluyera varios gráficos y diagramas brillantes que detallaran las tareas y la cantidad de trabajo necesario.

Los gráficos y diagramas indicaban qué parte del plan debía aplicarse primero antes de pasar a la siguiente fase. Incluyeron varios escalones para llegar al destino. Después de un par de pasos, se destacó un hito. Entre las tareas y los escalones, los resultados se hicieron evidentes. Con la introducción de numerosas herramientas de software para la creación de gráficos y diagramas, fue fácil seguir agregando más elementos a los mismos y haciéndolos más complejos a lo largo del camino. Con el tiempo, uno no puede ver el bosque por los árboles. Además, estos gráficos y diagramas pueden parecer extravagantes, pero casi siempre están equivocados. ¿Por qué? Porque no se adaptan a un entorno de proyecto que no es dinámico. El desarrollo de software es un proceso continuo y cambiante. Hacerlo en un vacío no termina bien, para nada, como leemos en este ejemplo.

Los gerentes de este proyecto en el FBI pensaron que tenían todos los recursos para que el proyecto fuera un éxito. Desde un gran talento, como se mencionó anteriormente, hasta tecnología avanzada y sistemas de software. Pero algo faltaba. Algo que puede parecer sutil, pero es una sutileza que marca la diferencia: la gente trabajó y planificó mal, es decir, su metodología no era válida. Un proyecto tan grande e intensivo nunca fue factible con la vieja, tradicional e ineficiente forma de trabajar. Se necesitaba una forma nueva, innovadora y eficiente.

Afortunadamente, después de mucha sangre, sudor y lágrimas, hubo un momento de alegría. Finalmente, uno de los gerentes talentosos se dio cuenta de que el plan hecho hace un par de meses era ahora una obra de ficción, debido a los continuos cambios en el camino. Cuando el gerente observó más de cerca el proceso de desarrollo en bruto, y sus productos y servicios similares, supo que el plan no era en absoluto válido. Con el tiempo, descubrieron que una nueva forma de gestionar los proyectos era vital. Así, se les presentó Scrum, una de las únicas metodologías para hacer de estos proyectos complejos y basados en datos un éxito salvaje. Se dieron cuenta de que la forma de gestionar los proyectos en el pasado ya no es aplicable. Seguir adelante con este enfoque en cascada costará una enorme cantidad de recursos.

Además, a menudo no se logran los resultados ideales. En el ejemplo del FBI, el método en cascada para hacer funcionar las cosas cuesta cientos de millones de dólares y muchos recursos. En la nueva y ágil forma de trabajar, la gente puede hacer más en menos tiempo. La gente puede aprender de los errores y reajustarse en un tiempo menor. Y la gente puede lograr mejores resultados en menos tiempo. Hacer más con menos es el lema dentro de las metodologías ágiles.

Puede sonar como una fantasía, pero varias organizaciones muestran resultados sorprendentes con este enfoque. La vía ágil funciona, y funciona para todo tipo de organizaciones. Sutherland y Schwaber encontraron el método observando *cómo* la gente hace su trabajo, en lugar de escuchar lo que *dicen* que hacen. Ambos caballeros estudiaron formas de hacer los proyectos más sostenibles observando los estudios realizados en torno a la gestión de proyectos. Además, observaron más de cerca cómo otras organizaciones manejan sus proyectos. Al hacerlo, les mostraron un patrón de lo que funciona durante los proyectos y lo que no. Sabían que había algo detrás de los éxitos de varios negocios alrededor del mundo.

Concluyeron que la mayoría de las organizaciones exitosas manejaban sus proyectos de una manera más iterativa, como Amazon. Ahora, Amazon es bien conocido por implementar Scrum no solo en proyectos pequeños sino también en varias capas de negocios con proyectos más grandes. ¿Quiere aprender cómo Scrum cambia las organizaciones para mejor? ¿Quiere ayudar a su organización a avanzar rápidamente? ¿Quiere tener un excelente éxito en sus proyectos? La adopción de la metodología Scrum allanará el camino para obtener excelentes resultados en los proyectos. Veamos con más detalle de qué se trata Scrum.

Capítulo 2: Scrum: ¿Qué Es? y ¿Por Qué Lo Necesitas?

Ahora que tenemos una clara comprensión de lo que es ágil, sus orígenes, conceptos, valores y beneficios, espero que sea evidente por qué se necesita un enfoque más ágil para el éxito del proyecto. En este capítulo, profundizaremos en la metodología ágil—o marco de trabajo—de Scrum. La diferencia entre Scrum y otros métodos ágiles es que es el método más fácil y flexible de implementar. Contrariamente a lo que muchos gerentes de proyectos piensan, Scrum no es solo para proyectos de desarrollo de software. Como usted leyó anteriormente, Scrum se originó en el mundo del desarrollo de software, pero hoy en día es adoptado en casi todas las organizaciones de tamaño considerable, independientemente de la industria.

Lo Básico

Scrum no requiere de matemáticas avanzadas o de ciencia espacial. Puede anotar los elementos más básicos de Scrum en una nota adhesiva. Observe los elementos esenciales en los que se basa Scrum:

Planificar el corto plazo en detalle, sin olvidar el largo plazo. Dentro de Scrum, sabemos que la planificación detallada y los programas solo pueden ser usados efectivamente a corto plazo. Esto es todo lo contrario de las metodologías tradicionales, en las que la programación detallada tiene lugar para eventos que están a "años luz" en el futuro. Esto no significa que un equipo exitoso de Scrum no piense a largo plazo. En absoluto. Los miembros del equipo piensan a largo plazo, pero saben que la programación diaria de las tareas a corto plazo les ayudará a acercarse a los objetivos a largo plazo. Programar en detalle a largo plazo está lejos de ser posible porque demasiadas variables pueden cambiar con el tiempo. Parece tan lógico, pero muchos directores (de proyectos) parecen pensar lo contrario.

Equipos auto-organizados y multidisciplinarios para la victoria. Si se quiere ganar a lo grande en los negocios, se necesita un gran equipo. Especialmente dentro de Scrum, el equipo juega un papel central y trabaja en forma más innovadora. Es un equipo que decide en qué trabajará, cuánto tiempo tomará y cuándo estará terminado. Ningún gerente tiene el poder de hacer cumplir sus deseos en el equipo. El equipo consiste en todas las disciplinas profesionales necesarias para hacer el trabajo. Los miembros del equipo conocen el trabajo, y el gerente normalmente no. Así que, ¿no tendría más sentido que estos profesionales averiguaran en qué trabajar y cuándo deberían terminar las cosas? Una pregunta retórica, por supuesto. Los miembros del equipo dentro del marco de Scrum elaboran el plan, organizan las tareas y llevan a cabo el trabajo.

Dividiendo los proyectos en tamaños razonables. Cuando se enfrenta un proyecto grande, es difícil tragarse el "elefante" de un solo bocado. En su lugar, se pueden hacer trozos de tamaño razonable para hacerlos llegar a la garganta. "Chunking" o dividir las tareas importantes en partes más pequeñas es crucial durante cualquier proyecto Scrum. Dentro del Scrum, los proyectos se dividen en sprints cortos, donde se desarrollan y entregan valiosos productos de incremento para el cliente.

La transparencia es la clave. De esto se trata Scrum. Con Scrum, ningún miembro del equipo puede "engañar" a otro miembro del equipo en términos de trabajo realizado. Esto obliga a la colaboración y ayuda como miembro del equipo para hacer el trabajo bien y a tiempo. Si se quiere hacer las cosas y mantener buenas relaciones, solo hay una manera: comunicarse de forma transparente. Solo comunicándose de forma transparente se puede lograr lo que se quiere de la mejor, más rápida y más agradable manera.

El bucle de retroalimentación es necesario. Cuando ofrece a sus clientes la oportunidad de dar retroalimentación, se sabe exactamente lo que está pasando con ellos y se puede responder. De esta manera, la retroalimentación de los clientes juega un papel esencial dentro de su empresa. Cuando los clientes y las partes interesadas proporcionan regularmente retroalimentación sobre el incremento del producto, es de esperar que esto produzca un mejor resultado.

¡No olvide comunicarse! El equipo discute regularmente entre sí si puede mejorar el método de trabajo, haciéndolo cada vez más efectivo. La cooperación intensiva, la auto-organización, la retroalimentación y los resultados rápidos conducen casi inevitablemente a un mayor disfrute al realizar el trabajo.

Como se ha dicho, no hay matemáticas avanzadas en ninguna parte. Pero, aun así, millones de directores de proyectos se manejan de manera ineficaz. Las personas que escuchan sobre Scrum por primera vez a menudo dicen que ya están usando todos estos elementos esenciales. Sin embargo, ser capaz de "practicar lo que predica" parece ser el obstáculo. La eficacia de Scrum se mantiene o disminuye con la implementación. Los profesionales experimentados en Scrum saben que no se trata de si se emplea el Scrum, sino de qué tan bien se usa. El resultado es la marca del éxito o el fracaso de los esfuerzos, la programación y la planificación del equipo.

Scrum todavía está encontrando su lugar en diferentes industrias además de la de IT. Algunas industrias han adoptado muy bien el Scrum, mientras que otras se quedan atrás. En mi experiencia, me he encontrado con cosas que funcionan de manera ligeramente diferente a la industria del software tradicional. Estos puntos de atención son indispensables para la amplia aplicación e implementación de Scrum. Para saber si su organización está lista para usar Scrum, ¡responda a las siguientes preguntas y cuente sus puntos!

¿Los proyectos siempre se hacen a tiempo?

Sí. (1 punto)

De vez en cuando. (2 puntos)

Rara vez. (3 puntos)

¿Los proyectos nunca se mezclan?

Sí, así es, siempre puedo concentrarme en un solo proyecto. (1 punto)

No, tengo que dividir mi tiempo y concentrarme en varios proyectos. Sin embargo, todavía tengo una visión general. (2 puntos)

No, está todo mezclado, y el trabajo se siente demasiado fragmentado. Casi parece que la organización es un “carrusel de proyectos”. (3 puntos)

¿Su organización suele pensar y trabajar en proyectos?

Sí. (1 punto)

Estamos trabajando en un enfoque más basado en proyectos. (2 puntos)

Queremos trabajar en base a un proyecto, pero aún no estamos orientados a esto. (3 puntos)

- **¿Diría que los otros miembros del equipo están motivados?**

Sí. (1 punto)

De vez en cuando. (2 puntos)

Raramente. (3 puntos)

- **¿Los miembros del equipo siempre entregan lo que los clientes o las partes interesadas les exigen?**

Sí. (1 punto)

Las cosas a menudo tienen que rehacerse; esto cuesta mucha energía extra. (2 puntos)

Los interesados/clientes no siempre están satisfechos con lo que entregamos. (3 puntos)

- **¿Diría que los otros miembros del equipo intercambian muchos conocimientos y habilidades?**

Sí, aprendemos mucho unos de otros y usamos los conocimientos y habilidades de cada uno. (1 punto)

De vez en cuando. (2 puntos)

No, demasiado poco. (3 puntos)

- **¿Suele el equipo hacer primero las cosas más importantes, y los miembros del equipo no permiten que los demás se distraigan con asuntos secundarios?**

  Sí, siempre abordamos los temas más críticos primero. (1 punto)

  De vez en cuando. (2 puntos)

  Muchos colegas están ocupados con cosas que me hacen preguntarme si son críticas. (3 puntos)

- **¿Cree que los interesados participan activamente en el proyecto?**

  Sí, durante el proyecto, hay varios momentos en que los interesados dan su opinión e indican sus deseos y anhelos. (1 punto)

  A veces, porque analizamos a las partes interesadas y las invitamos de vez en cuando para comprobar los progresos. (2 puntos)

  No, porque creo que demasiadas veces, los interesados apenas participan en el proceso. (3 puntos)

- **¿Diría que el equipo es flexible y puede adaptarse rápidamente a los cambios en los deseos y las necesidades del cliente o del entorno del proyecto?**

  Sí, si algo cambiara, podemos hacer ajustes a corto plazo sin causar ningún problema. (1 punto)

  Podemos hacer ajustes, pero eso a menudo requiere mucho arte y trabajo sobre la marcha. A veces incluso tenemos que rehacer proyectos avanzados. (2 puntos)

  Trabajamos de acuerdo a un horario que es difícil de ajustar en el camino. (3 puntos)

- **¿Su actual método de trabajo proporciona mucho placer a todo el equipo?**

  Sí. (1 punto)

  De vez en cuando. (2 puntos)

  Raramente. (3 puntos)

¡Después de que haya contestado las preguntas, sume su puntuación! La primera opción de respuesta vale un punto, la segunda dos puntos, y la tercera son—adivinó... tres puntos. Ahora, veamos en qué punto se encuentra su organización actualmente:

- Si su puntuación es de 10-11: Su organización ya es muy buena en la aplicación de elementos Scrum. Tal vez la organización tiene varios años de experiencia practicando Scrum o una metodología ágil diferente. Estas habilidades se pueden perfeccionar utilizando técnicas más avanzadas, que se describen en un capítulo posterior.

- Si su puntuación es de 12 a 21: Lo está haciendo bien, pero hay mucho espacio para mejorar. Lo más probable es que la organización esté implementando varias técnicas y elementos de Scrum, pero aún no van muy bien. Esta guía le ayudará a mejorar los probables escollos.

- Si su puntuación es 21-30: Su organización necesita cambiar. Es necesario que ocurra un cambio considerable para salvar los proyectos de su organización porque trabajar de la misma manera ineficaz e ineficiente será perjudicial para la organización y las personas involucradas. Este libro le ayudará a implementar el Scrum en un grado muy bueno. De esta manera, su organización puede cambiar las cosas para mejor.

¿Qué es Scrum?

Scrum es una metodología ágil para abordar proyectos. Se basa en una visión fundamentalmente diferente del trabajo en conjunto, de modo que se evitan muchas de las trampas tradicionales de los proyectos. La mayoría de la gente ha experimentado o escuchado acerca de grandes equipos de proyecto que, después de meses de trabajo, entregan productos a medio terminar que nadie está esperando. Con Scrum, se hace exactamente lo contrario. Dividimos el gran proyecto en trozos y terminamos las piezas pequeñas cada pocas semanas. Esto se hace en un sprint: períodos relativamente cortos de dos a cuatro semanas, durante los cuales se realizan y entregan partes del proyecto. Los clientes pueden ver un resultado rápido y mejor, y pueden dar una respuesta inmediata. Esto nos permite responder mucho mejor a los requerimientos de los clientes.

Scrum es más que una visión. Es un método práctico para trabajar productivamente con un equipo dedicado. El núcleo de Scrum es explícito y consiste en roles, ceremonias y listas. Hay roles claros para que todos sepan dónde están parados, ceremonias fijas en las que el equipo se reúne y algunas listas útiles que reemplazan los planes extensos y altamente ineficientes. Es esencial tener una buena comprensión de esto y usar los elementos de Scrum de la manera correcta: solo si se hace correctamente se puede decir que se está trabajando con Scrum.

El scrum consiste en tres roles, cuatro ceremonias y cuatro listas. El scrum tiene tres roles distintivos. Se forma un equipo de Scrum con personas que juntas pueden hacer la parte más sustancial de las tareas a mano. El grupo consiste en un promedio de siete personas, más o menos dos, a menudo de diferentes disciplinas. El equipo es auto-organizado. Esto significa que los miembros del equipo deciden juntos cómo quieren llevar a cabo las tareas y dividir el trabajo. Un equipo Scrum *no* tiene un director de proyecto. Usted podría pensar:

"¿No hay director de proyecto? Entonces, ¿cómo saben los miembros del equipo lo que hay que completar y cuándo?".

Bueno, en primer lugar, el equipo Scrum tiene personal para los tres roles, a saber, el rol de Scrum Master, el rol de Propietario del Producto y el rol de Equipo de Desarrollo. Este último es diferente al "Equipo de Scrum" porque no incluye los roles de Scrum Master y Propietario del Producto. En su lugar, contiene profesionales de varias disciplinas, como analistas de negocios, diseñadores y programadores, que se encargan de las tareas. Además, el Propietario del Producto es el director delegado del proyecto, es decir, el que entrega el proyecto al Equipo de Desarrollo y tiene un estrecho contacto con el cliente o clientes. Hace un inventario de los deseos del cliente o clientes internos o externos y lo traduce en una asignación clara para el equipo. El Propietario del Producto monitorea el trabajo, las prioridades y las condiciones previas y toma decisiones cuando es necesario. El Propietario del Producto "es dueño" del producto o del contenido. Y luego está el Scrum Master, el facilitador del equipo Scrum. El Scrum Master guía al equipo para que el proceso se desarrolle sin problemas. El Scrum Master es, por lo tanto, responsable de la calidad del proceso: se asegura de que el equipo de desarrollo dé los pasos correctos y de que las ceremonias se realicen de la manera correcta y en el momento adecuado.

Las ceremonias de scrum ocurren como cuatro tipos diferentes de reuniones de equipo. Se dividen en períodos igualmente significativos llamados tramos de sprint. Cada nuevo sprint comienza con una reunión de planificación del sprint, en la que el equipo determina cómo puede lograr los objetivos más importantes para este sprint. Durante el sprint, se realizan regularmente reuniones de pie (es decir, reuniones diarias de "Scrums" o stand-up). Se trata de breves discusiones intermedias de no más de quince minutos, durante las cuales los miembros del equipo se informan mutuamente sobre el progreso de las tareas. El estar de pie mantiene a los miembros del equipo en movimiento y evita que la gente se incline y pierda el interés. Al final de cada sprint, el equipo presenta todo lo que se ha hecho en este sprint al Propietario del Producto. Esto se llama la revisión del sprint. A veces también se invita a otros interesados, como colegas, clientes o directores. El cuarto tipo de ceremonia es una reunión retrospectiva final. En esta reunión, usted y el equipo miran hacia atrás en el proceso, para poder mejorar el rendimiento del equipo en el siguiente sprint.

Cuando empecé con Scrum en mi trabajo anterior, le pedimos a un entrenador de Scrum que guiara a los equipos durante los primeros sprints. La base del Scrum es simple, pero aplicarlo bien en la práctica es un oficio en el que el entrenamiento es más que útil. El entrenador de Scrum inmediatamente nos entrenó a varios colegas entusiastas y a mí para que nos convirtiéramos en un Scrum Master.

Ahora, llegamos a la última parte indispensable de Scrum, las listas. Las cuatro listas de Scrum no son más que ayudas visuales. En Scrum, normalmente se muestran las listas en rotafolios con Notas Adhesivas, que muestran en qué está trabajando el equipo. La primera lista es el Product Backlog, la visión general con todos los requisitos y deseos para todo el proyecto. Con Scrum, ya no es necesario escribir un plan extenso a largo plazo, sino que el Propietario del Producto hace un inventario de los componentes que deben ser trabajados para este proyecto. Para cada parte, se coloca una nota separada en el Product Backlog, y estos se llaman los "ítems del backlog".

Al comienzo de cada sprint, el equipo de desarrollo selecciona, junto con el propietario del producto, los ítems del Product Backlog que el equipo realizará en el próximo sprint. Estas notas se mueven a la segunda lista: el Backlog del Sprint. En la tercera lista, se escribe una "definición de hecho" para cada elemento. Estos son los requisitos que una tarea debe cumplir para ser considerada "hecha". La "definición de hecho" responde a la pregunta: ¿Qué es exactamente lo que se terminará y se logrará al final del sprint, y cómo se ve eso? Formular esto con el equipo crea una imagen compartida de lo que se entregará al final de este sprint. Además, hay una extensión de esta lista que normalmente se ignora: "la definición de divertido". Esta es una lista de condiciones para hacer y mantener el trabajo dentro del proceso de Scrum divertido. Un elemento esencial de la preparación del equipo es la pizarra de Scrum, en la que se colocan los elementos del Sprint Backlog. La forma más pura consiste en las columnas "por hacer", "haciendo", y "hecho". La pizarra Scrum puede ser digital pero normalmente se hace en una pizarra blanca física o en un rotafolio.

¿Es Necesario el Scrum?

Hay muchas razones por las que se necesita el Scrum cuando se trabaja en varios proyectos. A continuación, expondré múltiples razones por las que es necesario utilizar Scrum para sus proyectos tan pronto como sea posible. Sin embargo, por favor tome nota: Podría nombrar muchas más razones para usar Scrum para los proyectos. Y muchas otras razones están dispersas a lo largo de este libro. Para este capítulo, las siguientes razones serán suficientes.

La primera razón es que usted gana más valor de sus recursos, como tiempo y el dinero, pero también talento. Con Scrum, siempre está claro en qué están trabajando los miembros del equipo, y los incrementos de producto se entregan lo más rápido posible. Las partes más importantes del producto final son utilizables desde el principio debido a esto. Por lo tanto, el "Tiempo al Mercado" de un producto puede acortarse drásticamente.

La segunda razón es que Scrum le da al equipo más control sobre todo el proceso de creación del producto: de principio a fin. Scrum es un proceso empírico, y al obligarse a obtener retroalimentación lo más rápido posible, se obtiene mucha información. Esta información también se mejora cada vez más, y los interesados pueden emplear esta información para ayudar a que el proyecto avance. Esto contrasta con los métodos tradicionales, en los que los contratiempos suelen aparecer cuando el proyecto está "casi terminado". La mayoría de las veces es entonces demasiado tarde.

Además, la tercera razón es ofrecer productos de mayor calidad a los clientes y/u otros interesados. Al pedir la opinión de los clientes y otras partes interesadas durante cada revisión del sprint, nunca se pierden de vista los deseos y anhelos de los usuarios. Esto le da una ventaja sobre otras organizaciones que no tienen este proceso continuo de comprobación y validación de proyectos. El enfoque Scrum ayuda a comprender mejor lo que realmente molesta a los clientes. En el proceso, todos aprenden lo que es importante. Al hacer entregas de incrementos de productos basados en la producción cada vez, la atención a los detalles y la calidad es grande. Esto es muy superior a hacer una tonelada de suposiciones al principio, y luego enfrentar los problemas más adelante.

Otra buena razón para usar Scrum es que permite explorar proyectos inciertos y más complejos sin perder demasiados recursos. En lugar de tener una documentación larga y costosa hecha por varios consultores externos, puede ser gratificante poner a un equipo Scrum a trabajar en varios sprints. Después de unas semanas, sabrá si un nuevo producto es factible. Si no es así, mejor suerte la próxima vez, al menos ha aprendido algo. ¡Si resulta, lo que sucede a menudo, entonces usted estará inmediatamente a la cabeza!

Además, Scrum resulta en menos burocracia. En línea con el punto anterior, muchas organizaciones se han vuelto mucho más cautelosas en cuanto a gastar recursos como el dinero y el tiempo debido a las malas experiencias del pasado. Por lo tanto, se han desarrollado procedimientos para evitarlas. Después de un tiempo, estos procedimientos han cobrado vida propia. Por lo tanto, con frecuencia, estos procedimientos toman mucho tiempo. Principalmente porque el trabajo está esperando la aprobación de los Consejos Consultivos de Cambio y similares. Con Scrum, estos obstáculos desaparecen.

Como puede ver, los fundamentos y razones para aplicar el Scrum son sencillos. No hay matemáticas avanzadas que ver. Sin embargo, las apariencias engañan. Detrás de los simples roles, ceremonias y listas, hay una forma fundamentalmente diferente de trabajar. La combinación de estos factores hace que funcione. Recuerde siempre que un enfoque demasiado dogmático para implementar los conceptos está lejos de ser ideal; para usted, y para su equipo, pero también para la organización. Por lo tanto, no debes aplicar a ciegas todos los elementos de Scrum que discutimos en este libro, sin darse cuenta del valor para su proyecto específico. En cambio, debe evaluar su proyecto y las necesidades de su equipo y adaptar su aplicación de Scrum a esas necesidades. Además de los elementos esenciales de Scrum descritos anteriormente, hay muchos más elementos que se pueden utilizar durante un proyecto Scrum, como se verá en los próximos capítulos. Añada a lo básico seleccionando otros conceptos y elementos que esté seguro que harán que su equipo se desarrolle al máximo. No tema añadir una nueva perspectiva a los elementos en los que piense y sienta que es necesario. ¡Sin más preámbulos, ahondemos en el Scrum!

Capítulo 3: Roles y Responsabilidades del Scrum

Empleando el método en cascada, no es hasta la última fase que sus clientes pueden interactuar con el producto. Entonces es el momento en el que usted llega a saber si lo que produjo es lo que ellos estaban buscando. Porque es justo al final del proyecto, ¿qué se puede hacer si el cliente no está satisfecho? ¿Si algunos requisitos están obsoletos? ¿O si faltan un par de elementos? ¡Esta es una receta absoluta para el desastre porque la gente no sabe lo que quiere, hasta que interactúan con él!

El Scrum es genial para hacer que la pelota ruede rápidamente en los proyectos. Scrum funciona como un marco para que los equipos auto-organizados lleven a cabo proyectos de manera efectiva y eficiente. Consiste en tres categorías que se deben conocer, principalmente: roles, artefactos y eventos. Durante la explicación de estas categorías, agregaré más información para implementarlas adecuadamente. Estos conocimientos pueden o no estar basados en la Guía de Scrum de Jeff Sutherland y Ken Schwaber, pero me parecen esenciales cuando se trata de procesos de Scrum. Este capítulo está dedicado a los roles en Scrum.

Propietario del Producto

En Scrum, hay un par de papeles. El primer papel es el del Propietario del Producto. El Propietario del Producto se esfuerza por maximizar el valor del producto; esa es su responsabilidad. Todo lo que se hace en un proyecto debe crear, entregar y mantener el valor para los clientes y la organización. El Propietario de Producto se asegura de que así sea.

Además, gestiona el Product Backlog, que es el único documento o fuente donde se enumeran todos los requisitos. El trabajo del Propietario del Producto es asegurarse de que el Product Backlog esté bien formado, tenga sentido y esté priorizado. Además, el Propietario del Producto representa a los clientes comunicándose a menudo al respecto. Finalmente, toman las llamadas decisiones de ir/no ir, para lo que será liberado y lo que no. Encontrar a la persona adecuada para cumplir este papel es difícil, debido a la gran variedad de habilidades necesarias para completar estas tareas correctamente.

El dueño del producto se hace cargo de su realización con éxito: a tiempo, dentro del presupuesto estipulado y con clientes satisfechos. Para que un proyecto tenga éxito, hay que cumplir con los tres requisitos. Si no se cumple uno de estos tres aspectos, no se podrá entregar un gran producto.

Scrum predica la simplicidad y la transparencia, y el papel del Propietario del Producto es un excelente ejemplo de ello. Después de todo, solo hay un Propietario de Producto, y es la misma persona durante todo el proyecto. De esta manera, todos saben quién toma las decisiones. Es decir, decisiones sobre la dirección del producto.

Además, cada Propietario de Producto solo tiene un producto bajo su cuidado, y eso es todo en lo que se centra. Esto da una imagen clara al Propietario del Producto y resulta en un compromiso más significativo. ¿Por qué? Porque el Propietario del Producto dedicará todo su tiempo a dirigir el producto hasta que esté terminado. Normalmente, el Propietario del Producto pasará la mitad del tiempo con los interesados y la otra mitad con el equipo. El papel del Propietario del Producto es un trabajo a tiempo completo.

Aunque varios escépticos pueden estar en desacuerdo, el Propietario del Producto necesita ser de tiempo completo, porque el trabajo que debe hacer es extenso. El Propietario del Producto no solo se preocupa por el equipo, e incluso puede que se estén desarrollando más cosas que solo el software. El Propietario del Producto está involucrado con los interesados durante una parte considerable del tiempo. Esto incluye todo tipo de actividades, como la discusión con los clientes, la coordinación con el departamento de marketing, la realización de bocetos para obtener una mejor imagen del público objetivo y la coordinación del presupuesto con la dirección.

Es importante tener en cuenta que el propietario del producto no debe causar un embotellamiento. Esto resultará en costos innecesarios ya que los profesionales tienen que esperar para ponerse a trabajar. Por lo tanto, el Propietario del Producto debe tener suficiente tiempo para estar presente, para mostrar el camino, para motivar a la gente, y para repetir la visión.

Es responsabilidad del Propietario del Producto representar a cualquiera que tenga interés en el producto y sopesar los intereses entre todas estas personas o partes, y decidir constantemente lo que es esencial. De hecho, decido "constantemente" porque, como todo el mundo sabe, las demandas y deseos de estas partes interesadas cambian continuamente.

El propietario del producto también se encarga de debatir con el Equipo de Desarrollo la aplicación de los requisitos y deseos de los interesados. El Equipo de Desarrollo suele tener varias maneras de interpretar y aplicar un requisito. Los costos pueden, por lo tanto, variar considerablemente, y el Propietario del Producto debe entender que las decisiones también son tomadas por el Equipo de Desarrollo. En las conversaciones con el Equipo de Desarrollo, se trata principalmente del "cómo" y el "qué" en términos de costo.

Con estos dos aspectos de los requisitos: "cómo" y "qué", el Propietario del Producto prioriza las necesidades o artículos listados en el Product Backlog. Él/ella sopesa el orden en el que los objetivos son realizados. Esto se hace a menudo presentando las estimaciones del Equipo de Desarrollo a las partes interesadas, para que se propongan "ganancias rápidas". Además, es posible que algunos requisitos se cancelen debido a los costes, por ejemplo. Cuando usted es el Propietario del Producto, priorice primero, y luego pregunte por los costos. Las estimaciones de costos llevan un tiempo relativamente largo, por lo que hay que prestar más atención a las cuestiones más vitales. Es su principal responsabilidad obtener una buena relación calidad-precio. Usted quiere obtener un retorno de su inversión (ROI) de tiempo, energía y dinero.

Siempre existe la posibilidad de que las cosas no salgan según lo planeado. Por lo tanto, también es posible que se estropeen las cosas. Solo tómelo con calma, estas cosas pueden suceder. El desarrollo de nuevos productos sigue siendo una empresa incierta y compleja. Después de todo, es por eso que usamos Scrum. Scrum no es el camino garantizado hacia el éxito. Sin embargo, es una forma garantizada de descubrir todos los desafíos, oportunidades y posibilidades, tan rápido como sea posible. Muchas empresas exitosas usan Scrum para comenzar y comprobar el modelo de negocio, aunque la posibilidad de fracaso sea significativa. Si funciona bien, saben que han ganado tiempo, dinero y otros recursos. Si las cosas fracasan, porque el equipo no estará listo a tiempo o no hay suficientes fondos, por ejemplo, entonces saben cuándo parar mucho antes que en las metodologías tradicionales. Por lo tanto, ¡incluso fallar con Scrum es mejor que con cualquier otra forma! Porque se pierde la menor cantidad de recursos, se regresa rápidamente y se comienza a trabajar en lo siguiente sin dudarlo.

Como se explicó anteriormente, la principal tarea del Propietario del Producto es gestionar el Product Backlog. Como Propietario del Producto, siempre está (re)priorizando los ítems en el Product

Backlog, para que las cosas más valiosas se coloquen en la parte superior. Estos son los ítems de mayor valor y de menor costo relativo. El Propietario del Producto siempre debe priorizar todos los requerimientos y deseos en el Product Backlog basado en el valor del negocio. Estos ítems deben obtener una estimación del esfuerzo requerido por el Equipo de Desarrollo. Esto se llama "refinamiento del backlog" también conocido como "backlog grooming". El Product Backlog es muy dinámico, principalmente porque el Equipo de Desarrollo a menudo presenta un software valioso y listo para la producción, y los interesados obtienen nuevos conocimientos a medida que el tiempo avanza. Sin embargo, variables como el presupuesto, las necesidades del mercado y el uso real de los incrementos de producto que se desarrollan en cada sprint, también influyen.

El propietario del producto necesita tener un don para hacer que el Backlog del producto sea tan valioso y comprensible como sea posible. El Product Backlog es principalmente una herramienta de comunicación y puede beneficiar a una gran cantidad de personas en la organización. Además, puede ser la fuente de muchas preguntas y discusiones, pero no hay nada malo en ello. Es mejor hacer preguntas de inmediato, en lugar de dejarlas vagar por la cabeza de la gente. Esto solo sería posible si el Product Backlog está en el cajón de alguien acumulando polvo: no es así. En su lugar, cuélguelo en la pared o designe una pizarra para ello, para que sea visible para cualquiera que tenga preguntas pendientes.

Además, nadie entiende un Product Backlog lleno de jerga. Normalmente, si ese es el caso, llevará a numerosos problemas, como la mala aceptación por parte de los consumidores, la mala comunicación, y mucho menos valor para el tiempo, la energía y el dinero. Ya hay suficientes organizaciones con una infraestructura demasiado compleja. Así que no complique aún más las cosas, o traerá muchas desventajas. En su lugar, solo enumere los puntos reconocibles y utilizables por los usuarios en la lista, escritos en las palabras de un consumidor. Pasar a producción lo más rápido posible y tan a menudo como sea posible (sí, ¡pasar a producción!). Nada da más información sobre la exactitud de sus decisiones que el uso del producto o el incremento del producto por personas reales.

Scrum Master

La siguiente función es la de Scrum Master, que puede, hasta cierto punto, compararse con los directores de proyectos de las metodologías tradicionales. Así que, imagínese en este papel. Un Scrum Master es como un pastor de Scrum porque necesita conocer los conceptos e implementar los mecanismos adecuados. Se asegura de que todos se adhieran a los valores ágiles. Como Scrum Master, usted debe participar en el equipo de desarrollo, pero no les diga cómo y cuándo deben hacer sus tareas específicamente. Además, si el equipo tiene problemas que se interponen en el camino para producir excelentes resultados, debe eliminar cualquier barrera identificando los problemas y eliminando los obstáculos.

Por último, como Scrum Master, también debe centrarse en resolver los conflictos para que el equipo vuelva a estar en marcha lo antes posible. La principal diferencia con los gerentes de proyectos es que usted, como Scrum Master, está ahí para darle poder al equipo. No está allí para estar al mando y decirle a cada miembro del equipo lo que debe hacer. Usted debe dejarlos hacer su trabajo porque están especializados en ese trabajo. El líder del equipo puede asumir el rol de Scrum Master, pero esto es usualmente el caso cuando un equipo es más maduro. Cuando la organización es nueva en el trabajo con Scrum, es difícil para usted como líder de equipo hacer malabares entre ser un Scrum Master y liderar un equipo. Puede que se encuentre demasiado ocupado educando a la gente en el proceso para que no haya lugar para otras actividades. Por lo tanto, es aconsejable tener un Scrum Master específico por equipo. Cuando los equipos maduren más y usted gane más experiencia como Scrum Master, podrá ser el Scrum Master de varios equipos. ¿Por qué?

Porque con la práctica los equipos se volverán más auto-conscientes, auto-resistentes y auto-actualizados. Por lo tanto, usted tendrá menos trabajo como Scrum Master en términos de educación de los equipos y sofocar los incendios, por así decirlo.

Una de las responsabilidades más importantes del Scrum Master es asegurarse de que los miembros del equipo se adhieran a las "reglas" del Scrum. Un Scrum Master asegura que el proceso de Scrum se desarrolle de manera óptima. En este sentido, encontramos la diferencia más significativa con el Propietario del Producto, que se asegura de que se entregue un gran producto. Sin duda, todos los roles en Scrum trabajan hacia un objetivo común, pero tienen varias responsabilidades. Un proyecto Scrum tiene un Propietario del Producto, un Scrum Master y un Equipo de Desarrollo, todos los cuales aseguran que se logre el objetivo común. ¿Cuál es el objetivo común? Bueno, es realizar la visión del Propietario del Producto, es decir, realizar el producto y hacerlo de la manera más eficiente y efectiva posible.

Usted, como Scrum Master, debe asegurarse de que se sigan las reglas de Scrum. Durante el proceso de completar las tareas, los impedimentos u obstáculos aparecerán naturalmente. Entonces usted, como Scrum Master, debe dar un paso adelante para eliminar esos obstáculos. Además, el Scrum Master debe convencer a la gente de que trabajar de acuerdo con el Scrum conduce a mejores resultados. Así, puede conectarse más con los interesados y los miembros del equipo, haciendo que el proceso de producción sea más manejable. Para aclarar las cosas, todo lo que debe hacer como Scrum Master se deriva de estas responsabilidades:

- Eliminar los impedimentos u obstáculos a los que se enfrenta el equipo de desarrollo.

- Asegurarse de que todos se adhieran a las reglas del "juego". Vigilar las reglas del juego.

- Conseguir que la gente se incorpore al Scrum, organizar el apoyo al Scrum.
- Crear un cambio positivo en la organización utilizando el Scrum adecuadamente.

Usted, como Scrum Master, es similar a un árbitro y un entrenador. Usted es un árbitro porque es su responsabilidad que cada miembro del equipo se adhiera a las reglas de Scrum. Es un entrenador porque facilita todo el proceso para todos los miembros del equipo. Elimina los obstáculos y ayuda a que el equipo avance hacia el éxito del proyecto.

Como Scrum Master, es, por lo tanto, vital organizar el apoyo de todos para el Scrum. Dejar claro que el Scrum no es el objetivo sino el medio para lograr el objetivo del equipo. Scrum es un enfoque muy adecuado para realizar un producto que es complejo.

La persona con la que primero se debe discutir y subir a bordo es con el Propietario del Producto, sin hacer preguntas. Si no lo tiene a bordo, el proceso será como escalar una enorme montaña. Cuando el Propietario del Producto esté listo, ambos pueden empezar a motivar al equipo para que siga el Scrum, explicando por qué esto llevaría a mejores resultados. Como Scrum Master, asegúrense de no asumir las responsabilidades del Propietario del Producto. El Propietario del Producto motiva con respecto al producto. Y el Scrum Master motiva a los miembros del equipo con respecto al proceso de creación del producto *usando* Scrum. No espera a comenzar el proyecto Scrum hasta que "todo" esté listo y perfecto. Scrum enfatiza el proceso de aprendizaje continuo, especialmente el aprendizaje por medio de la práctica. Si no se actúa adecuadamente como Scrum Master, el proyecto se estancará.

Hay fases por las que cada equipo de Scrum pasa al comenzar. En la fase inicial, todos están ocupados aprendiendo sobre Scrum y las reglas correspondientes. Después de que se entienden las reglas, solo se pueden conocer realmente por la práctica pura, es decir, hacer un proyecto usando Scrum. Después de que el equipo es más maduro, en la segunda fase, puede agregar tácticas o estrategias más avanzadas para realizar los proyectos de manera más eficiente y eficaz. Por último, la última fase es la maestría, donde el equipo realiza los proyectos según Scrum, casi sin esfuerzo. El objetivo debe ser llegar a la segunda fase lo antes posible. No hay otra forma de realizar los proyectos de forma consistente con el Scrum. Alcanzar la maestría en cualquier cosa puede llevar años y años de trabajo duro. Lo mismo ocurre con la última fase. Por lo tanto, no es un problema permanecer en la segunda fase por un período más prolongado.

Independientemente de lo que haga, sepa que Scrum es un concepto poderoso, utilizado por miles de organizaciones en todo el mundo. No crea demasiado rápido que lo sabe todo y que puede hacer su propia versión de Scrum. Es imperativo que obtenga el apoyo de la gerencia y que ellos entiendan que la inversión en Scrum es una inversión a largo plazo. Haga evidente que usted, como Scrum Master, no puede arreglar todo solo y puede necesitar ayuda de otros profesionales. Además, la administración y otras partes interesadas deben saber que Scrum es también una herramienta para una discusión significativa, para obtener el compromiso de todos. Obtener el compromiso se hace mejor con la educación. Dé un taller sobre el Scrum o una presentación en la que se expongan los beneficios y los estudios de cada caso. Además, puede hablar regularmente sobre el proceso. Este último punto es, por supuesto, posible en la retrospectiva del sprint, una reunión sobre Scrum que pronto abordaré, pero también puede tener una charla cuando sienta que algunas partes involucradas muestren algún grado de resistencia al Scrum o a los cambios en general.

Asegurarse de que todo el mundo se adhiere a las reglas no es nada fácil, especialmente si su equipo es nuevo en el trabajo con Scrum. La gente tiene hábitos para ocuparse de su trabajo, y estos son difíciles de desaprender. Scrum fomenta la cooperación y la transparencia, todo es visible, y nadie en el equipo tiene la propiedad de las piezas. Por lo tanto, a menudo sucede que los miembros del equipo tienen dificultades con su nueva posición en el equipo, y es su responsabilidad llamar su atención sobre eso y hacerlo discutible. Para ilustrar esto aún más, digamos que tenemos dos testers en el Equipo de Desarrollo, y tienen el hábito arraigado de hacer un plan de pruebas basado en un diseño funcional. Están acostumbrados a que el desarrollador entregue el software al final de un lanzamiento, y prueban el software durante un par de semanas basándose en su plan. Sin embargo, en Scrum, las cosas son diferentes. Porque en Scrum, ya no hacemos un diseño funcional por adelantado, y un tester tendrá que contribuir con algo significativo antes de que el software esté listo. ¿Qué hace un tester en los primeros días de la primera iteración? ¿Y qué pasa con el analista de negocios? Estas son todas las preguntas que el Scrum Master necesita abordar. Este es un rol con muchos desafíos, en el que puede utilizar toda su experiencia, pero especialmente toda su capacidad de persuasión y comunicación. Afortunadamente, no está solo; después de todo, comparte un objetivo común con el Propietario del Producto, el Equipo de Desarrollo y muchas partes interesadas.

Scrum permite reajustarse rápidamente cuando las cosas no funcionan. Si el Propietario del Producto no cumplió con algunos requisitos del Product Backlog, o las partes interesadas no quieren colaborar, entonces esto resultará mucho más doloroso cuando se use el Scrum que con otros métodos. Como Scrum Master, puede que usted se incline por aliviar el dolor e incluso asumir algún trabajo con el que el equipo de desarrollo esté luchando. Sin embargo, no lo haga, sino que muestre y asegure la visibilidad de los problemas y solo elimine los obstáculos que impiden que el equipo de desarrollo haga el trabajo. ¡No haga el trabajo en sí mismo, sino que prepare el camino para que el trabajo se haga!

Las reglas de Scrum le ayudarán como Scrum Master a sacar los problemas a la superficie. La reunión diaria de pie, por ejemplo, y la revisión de los sprints al final de cada sprint, le dan todas las oportunidades de conseguir que la gente dé su opinión. Esta información es esencial para usted como Scrum Master. Le permite encontrar mejoras. Por ejemplo, cuando haya problemas en la realización de una característica que ponga en peligro la planificación, mencione el problema y pida al equipo que discuta las alternativas con el Propietario del Producto. Cuando un miembro del equipo menciona un problema específico durante muchos días, asegúrese de que haya algunas pequeñas tareas en el Sprint Backlog para abordar estos temas; trataremos esto con más detalle más adelante.

He mencionado algo sobre "reglas" numerosas veces, pero ¿cuáles son estas "reglas"? Las más importantes se enumeran a continuación, pero no se preocupe si algunos conceptos son todavía desconocidos. Estos serán tratados más adelante. Las reglas son:

- En Scrum, hay un Propietario del Producto. El Propietario del Producto es responsable del éxito del producto y tiene el atributo de tomar decisiones con respecto al producto.

- Hay un Scrum Master. Él/ella se asegura de que las reglas y principios de Scrum se cumplan, para que todos puedan concentrarse de manera óptima en su tarea para hacer crecer el producto o productos.

- En Scrum, hay un Equipo de Desarrollo que desarrolla el producto de forma independiente. Ellos hacen las tareas para ponerlo en producción.

- El Scrum se hace en sprints. Son iteraciones continuas de dos a cuatro semanas. Cuanto más corto, mejor. Los sprints comienzan y terminan en días fijos.

- Todos los requisitos y deseos para el producto se registran en el Product Backlog, que es administrado por el Propietario del Producto. El Product Backlog siempre se prioriza por el valor para el negocio, y la viabilidad y el costo de los ítems del Product Backlog son estimados por el Equipo de Desarrollo porque conocen y hacen el trabajo.

• Un sprint comienza con una reunión de planificación de la primera parte del sprint, en la que se determina lo que se tratará en cada sprint. Generalmente, estos son los ítems en la parte superior del Product Backlog.

• Posteriormente, en la parte 2 de la planificación del sprint, el equipo—en presencia del Propietario del Producto—determina cómo se realiza el trabajo y cómo avanzarán en el mismo.

• Cada sprint, una serie de tareas que se trasladan del Product Backlog al Sprint Backlog. Al hacer esto, estos ítems más significativos del Product Backlog se dividen en tareas más pequeñas que el equipo puede abordar a diario.

• También es necesario que el Equipo de Desarrollo haga progresos transparentes. Esto se hace a través de un “gráfico burndown”.

• El Propietario del Producto y el Equipo de Desarrollo han llegado a acuerdos. Por ejemplo, se entiende claramente lo que significa un producto terminado y un ítem Backlog. Esto está escrito en la definición de hecho. "Hecho" significa: tan bueno que puede ser llevado a la producción.

• Cada día el equipo tiene una reunión diaria de Scrum o una reunión de pie de no más de quince minutos. Durante esta reunión, el equipo de desarrollo repasa las tareas del Sprint Backlog juntos, utilizando varias preguntas estándar. Esta reunión es pública, y las partes interesadas pueden escuchar. Solo pueden observar y no deben intervenir durante esta reunión.

- Al final del sprint, hay una reunión llamada “revisión del sprint”. Allí, el Equipo de Desarrollo muestra los resultados al Propietario del Producto y a las partes interesadas internas/externas y luego recibe retroalimentación. El equipo solo entrega los resultados que están “hechos”, es decir, que pueden ser llevados a la producción por los usuarios.

- Después de que la revisión del sprint se completa, el equipo realiza una retrospectiva del sprint para hacer una pausa y discutir cómo fueron las cosas durante el sprint. ¿Qué fue bien? ¿Qué se puede mejorar? Asegurarse de que se hagan acuerdos, para mejorar el proceso de los próximos sprints.

Equipo de Desarrollo

El tercer rol dentro de Scrum, como habrán notado, es el Equipo de Desarrollo. Dentro de Scrum, todo el mundo está desarrollando algo, por lo que todo el mundo es un desarrollador (¡no necesariamente un desarrollador de software!). Todos los profesionales forman parte del equipo de desarrollo, ya sea un profesional de RRHH, un ingeniero de software o un analista de negocios. Cuando está en el equipo, estas etiquetas profesionales se desvanecen, haciéndole más consciente y enfocado en el objetivo del equipo y en el trabajo conjunto. Estos equipos son multifuncionales o multidisciplinarios. Por lo tanto, están formados por los profesionales necesarios para lograr los incrementos de producto. Eso es lo que los hace equipos auto-organizados; el equipo conoce el diseño, la programación/desarrollo, las pruebas y cualquier otra habilidad necesaria para llevar a cabo el proyecto con éxito.

Deben decidir en qué trabajarán y cómo lo harán—sin mucha o ninguna ayuda externa. En un equipo de desarrollo, la colaboración es crucial. Por lo tanto, si hay un problema con las pruebas o se necesita más esfuerzo en esa área, un analista de negocios en el equipo del producto puede intervenir y dar una mano. Ser colaborativo significa que puede renunciar a algunas de sus responsabilidades o asumir algunas tareas adicionales para lograr el objetivo. Finalmente, el equipo no debe ser demasiado grande.

El Equipo de Desarrollo hace todo el trabajo para convertir la visión del Propietario del Producto en un producto funcional. Hacen todo el trabajo directo para completar el producto. Nadie trabaja directamente en el producto antes o después de que el equipo comience o termine. Esto significa que el equipo reúne los requisitos, realiza el análisis, hace un diseño, se ocupa de la arquitectura subyacente, implementa el producto (incremento), hace las pruebas, la instalación y la documentación. Todo esto lo hace un equipo multidisciplinario de alrededor de cinco a nueve personas. ¿Podría Scrum trabajar con más gente? Bueno, no en el mismo equipo, ya que eso lleva a demasiados gastos generales. Agregar gente a un equipo ya es menos efectivo con ocho o nueve porque se pierde la concentración y el compromiso. ¿Y qué hay de usar Scrum con menos de cinco personas? Esto podría ser posible, pero entonces el Scrum Master o el Propietario del Producto suelen tener un doble papel. Eso está lejos de ser ideal. No se puede usar Scrum con una o dos personas. ¿Qué haría una persona durante la reunión de pie? ¡Por supuesto, es posible que una o dos personas incorporen varios elementos de Scrum en sus procesos, pero no Scrum en su totalidad, porque Scrum es un deporte de equipo!

Por ejemplo, si se está desarrollando un sistema de comunicación con el lenguaje de programación Python, es posible que se necesite un arquitecto asistente, dos desarrolladores de Python, un analista de negocios y un tester. Si el sistema de comunicación requiere un diseño fresco o alguna forma de interacción, entonces se agrega un experto en CSS al equipo. Varios proyectos podrían consistir en una amplia variedad de profesionales. Aunque el equipo de desarrollo en Scrum es multidisciplinario, esto no significa que todos los expertos dentro del equipo necesiten tener habilidades interdisciplinarias, tales como: un profesional que pueda programar y hacer el trabajo de diseño también. De hecho, los miembros del equipo a veces hacen tareas que no están en sus conjuntos de habilidades apropiadas. Por ejemplo, si el tester está muy ocupado, un desarrollador podría intervenir y tomar algunas de las tareas del tester. Esto hace evidente que Scrum se trata de hacer que el equipo gane. Piensen en un deporte como el fútbol, cuando el equipo A va ganando 1-0. El equipo A recibe un tiro de esquina, y es el último minuto del juego—entonces hasta el portero se adelantará. El portero es consciente de que no es la posición natural de un arquero, pero todo es para el propósito superior de ganar.

Además, el Equipo de Desarrollo es responsable de asegurar que se haga todo el trabajo. El equipo debe ser lo suficientemente maduro para ponerse en marcha después de que el Propietario del Producto discuta los requisitos. Por supuesto, a veces es posible que algunos conocimientos especializados no estén presentes en el equipo. El equipo puede entonces buscar ayuda o experiencia externa. Estas actividades siguen siendo responsabilidad del equipo. No olvide que el equipo se organiza por sí mismo. Otro aspecto importante dentro de Scrum es que se trabaja con equipos fijos, que trabajan juntos sprint tras sprint. Por lo tanto, el equipo crece junto y los miembros del equipo se sintonizan más entre sí. Un buen Propietario del Producto necesita saber cuánto tiempo requieren los ítems del Product Backlog —como los requisitos—y cuánto cuestan. Por lo tanto, el Propietario del Producto necesita estimaciones. ¿Y quién es mejor para entregar estas estimaciones que el Equipo de Desarrollo que tiene la experiencia y tiene que hacer el trabajo? No caiga en el clásico error de hacer estimaciones como Propietario del Producto o Scrum Master, o de dejárselo a una de las personas del equipo. Todo el equipo da las estimaciones. Todavía me parece irreal que, en algunas organizaciones, un gerente haga estas estimaciones mientras no tiene ningún conocimiento del trabajo.

Scrum es un proceso que está destinado a trabajos de naturaleza más compleja, como el desarrollo de productos. Son empresas inciertas, con un propósito claro, pero sin una trayectoria clara que recorrer. Debido al dinamismo de tales proyectos, planificar cualquier cosa en detalle por adelantado es ridículo. Hay demasiadas variables que no se pueden predecir antes de hacer el trabajo. Esto hace que la planificación en profundidad sea innecesaria, por decir alguna cosa. Muchos proyectos dinámicos fallan, porque la estimación de las tareas se hace mal. Scrum es un proceso empírico en el que se está en un constante "modo de aprendizaje". Todo lo que aprendemos se utiliza en los próximos sprints y se pone en práctica inmediatamente. Así, cosas como los diseños, el código de programación y la documentación siempre se adaptan a los deseos y las necesidades de los clientes o usuarios finales.

Una vez que todo el trabajo ha sido planeado durante las revisiones de sprint, el Equipo de Desarrollo puede comenzar. El equipo hace el Backlog del Sprint colgando los elementos del Product Backlog y las tareas relacionadas en la pared o en una pizarra, formando la llamada "pizarra Scrum" creando las secciones "Por hacer", "Haciendo" o "Hecho". Esto les da a todos una buena visión general del trabajo en el sprint actual, no solo para el equipo, sino para todos los que entran en la sala y echan un vistazo a la pizarra de Scrum. Además, el progreso es seguido por el equipo en el gráfico burndown dibujado en otro pizarrón o rotafolio, y colocado junto a una nota con la "definición de hecho" del equipo. Así, se indica la línea ideal de progreso y cuánto se ha hecho del trabajo, incluyendo cuándo podemos decir que el producto (incremento) está terminado.

Para ilustrar esto con más detalle, tomemos el siguiente ejemplo. Digamos que el Equipo de Desarrollo trabaja en conjunto de lunes a jueves. Cada día comienza con una reunión de pie. Esta es una consulta rápida del equipo, y es lo primero que se hace cuando llegan los miembros del equipo. Es aconsejable hacerlo primero por la mañana, por ejemplo, a las 9 de la mañana, o a las 9.30 si eso le conviene más al equipo. Esto es mucho mejor que revisar sin pensar los correos electrónicos pendientes o nuevos. En cambio, esta reunión diaria de pie pretende coordinar el trabajo para el día siguiente. Cuanto más temprano en el día, mejor. Mantiene a los miembros del equipo concentrados para que puedan ponerse a trabajar de inmediato sin perder tiempo. Recuerde que este es el momento de sincronizar y no de informar. Hay otras reuniones para informar sobre los progresos. Es una reunión del equipo, al igual que los trabajadores de la construcción en un proyecto tienen una reunión de trabajo por la mañana. Discutirían cosas como, "Oh, esta mañana, es probable que llueva, así que me encargaré de arreglar el techo primero, antes que otras tareas". Un colega podría decir: "Bueno, si vas a arreglar el techo de todos modos, puedo ocuparme de mi tarea con respecto a la antena simultáneamente. Iré contigo".

Este ejemplo se ajusta a muchos de los valores o principios de Scrum, en concreto: Dedicación, concentración, apertura, respeto y coraje. Estos son importantes para entregar el mejor producto posible; mejor de lo que el dueño del producto podría haber previsto. Siempre se puede "hackear" el sistema dando estimaciones altas a cosas que el Propietario del Producto no puede estimar o verificar. La forma de tratar esto se tratará más adelante, pero siempre tenga en cuenta que está desarrollando un producto para el Propietario del Producto. Intente apoyarlo con toda su experiencia, disciplina, enfoque, creatividad y sentido de la responsabilidad. Y si no se cree en el producto, entonces es su trabajo dar su opinión respetuosamente; ¡sea abierto al respecto! El Propietario del Producto solo se beneficiará de esto a corto—y largo plazo—porque esta apertura o transparencia tiende a dar lugar a mejores productos y a una mayor satisfacción del cliente.

Después de una o dos semanas, lo ideal es que llegue el momento crítico, es decir: la revisión del sprint, en la que el Equipo de Desarrollo muestra el trabajo terminado al Propietario del Producto y a las partes interesadas. Todo el equipo trabaja en este momento, para dar una demostración y recibir retroalimentación. El equipo siempre debe adoptar una mentalidad de crecimiento. Cuando este es el caso, el equipo prefiere escuchar que algo es bueno o no, porque esto les da tiempo para reajustarse y crecer en el proceso para entregar productos aún mejores. Durante la demostración, el equipo puede mostrar algo más que las pantallas/páginas web o el sistema. Piensa en cosas como los resultados de las pruebas y la documentación. Esto es útil especialmente cuando están presentes los interesados del equipo de gestión. En lugar de una demostración, el equipo de desarrollo también puede pedir a los interesados que se sienten detrás de las máquinas de desarrollo del equipo para probar el sistema. Debido a este enfoque práctico, los interesados pueden tener una mayor percepción del sistema y, con suerte, dar una mejor retroalimentación. Deje que cada miembro del equipo guíe a un interesado y tome nota de las preguntas, comentarios y especialmente de la retroalimentación. De esta manera, se matan dos pájaros de un tiro, diseñando inmediatamente una parte de la prueba de aceptación del usuario.

Después de que los interesados hayan dado su retroalimentación, el Equipo de Desarrollo se retira para reflexionar sobre el período final. La reunión retrospectiva del sprint permite al equipo tomarse el tiempo para mejorar. Scrum anima a los equipos a evaluar los procesos y el desempeño de las tareas porque esa es la manera de seguir creciendo. Es esencial que el equipo se tome el tiempo para revisar lo que se puede mejorar y para analizar seriamente lo que no va bien. Por lo tanto, no hay personas ajenas a la retrospectiva del sprint. El Scrum Master y el Propietario del Producto pueden unirse a esta reunión porque ambos son parte del equipo Scrum que trabaja hacia un objetivo en común.

Sin embargo, es vital que todos los miembros del equipo se sientan cómodos para compartir sus experiencias, errores y victorias. Hay muchas técnicas para crear una reunión retrospectiva, y esto se tratará más adelante. Por ahora, debe saber que, durante esta reunión, los miembros del equipo descubren algunos puntos para mejorar. Hay que pensar en cosas como: "Mantener la reunión de pie en solo quince minutos", "Pedir consejo a un consultor externo", o Hacer mejores ajustes a la 'definición de hecho'". Siempre hay algo que podría ser mejor. Especialmente cuando el equipo es nuevo en el mundo de Scrum, muchas cosas salen mal, y eso es lógico cuando se empieza.

Es responsabilidad del equipo de desarrollo acordar un par de acciones concretas para mejorar el trabajo con Scrum al final de la reunión retrospectiva del sprint. Además, es necesario comprometerse a cuidar estos puntos–Tome los siguientes puntos como punto de partida:

- Comenzar la reunión diaria de pie a las 9 a.m. y no más tarde.
- Trabajar en parejas siempre que sea posible.
- Anotar cuando un miembro del equipo se ausente en un archivo compartido.
- Dedicar más tiempo al Propietario del Producto para perfeccionar el Product Backlog.

En cualquier proyecto, es esencial tener el equipo adecuado con las competencias adecuadas. ¿Pero dónde buscamos cuando reunimos a nuestro equipo de Estrellas? Si usted es responsable de reunir el equipo Scrum, necesita saber más sobre cómo hacerlo adecuadamente, porque el equipo puede hacer o deshacer cualquier proyecto. Entonces, ¿Está listo para reunir a su equipo de Esstrellas de Scrum por el éxito del proyecto? ¡Hagámoslo!

Capítulo 4: Equipos de Scrum: Reuniendo a Su Equipo de Estrellas

Priorizar el trabajo atrasado y trabajar en los ítems no es una tarea que se haga en soledad. Junto con las diversas partes interesadas, se seleccionan los elementos esenciales en los que se va a trabajar. Antes de que cualquier trabajo se lleve a cabo, debe formar su equipo "Estrella" de Scrum. El equipo Scrum no es solo un equipo, es un equipo multidisciplinario. Dependiendo del proyecto, el equipo debe incluir personas con diversos conocimientos, como diseñadores, desarrolladores y analistas de negocios. Cada miembro del equipo es consciente de la naturaleza colaborativa en la que se basa Scrum. Por lo tanto, a nadie le importa echar una mano y compartir las responsabilidades para el bien mayor de lograr el objetivo del sprint. En mi experiencia como profesional de Scrum he aprendido que es preferible un diseñador "decente", por ejemplo, que encaje bien en el equipo de Scrum y en la cultura que lo rodea, que un diseñador "sobresaliente" que no lo haga. Cuando reclute a alguien para el equipo: asegúrese de que siga las reglas; no le importe echar una mano (aunque sea para algo de lo que no sea directamente responsable); y que encaje en la cultura.

Cuando es usted el responsable de reunir al equipo, debe tener algunas cualidades en orden. Tener estas cualidades en su lugar es la diferencia entre formar un simple "buen" equipo y un "magnífico" equipo. Estas son algunas de las mejores cualidades:

Integridad. Demasiada gente habla de la integridad y su importancia, pero no saben lo que realmente implica. ¿A qué nos referimos cuando aseguramos la integridad en un proyecto, o cuando trabajamos con integridad? La definición exacta depende del contexto. El contexto al que nos referimos aquí es tener integridad en un proyecto en el que se emplea Scrum. Con este contexto en mente, la definición mencionada por el Diccionario de Cambridge encaja muy bien: "La cualidad de ser honesto y tener fuertes principios morales que se niega a cambiar". Cada Scrum Master tiene que lidiar con algunos problemas dentro del equipo. Tener un fuerte sentido de la honestidad le beneficiará a usted, pero también a sus compañeros de equipo. Cuando nadie en el equipo Scrum confía en los demás, cuando la gente no es honesta, los resultados estarán lejos de ser los deseados. Lo mismo ocurre con el seguimiento de los principios y reglas de Scrum. Como Scrum Master, usted debe ser el primero en adherirse a estas reglas y ser un ejemplo en términos de integridad también.

Demuestre responsabilidad. Cuando se demuestra responsabilidad como Scrum Master, es más fácil para los miembros del equipo mostrar responsabilidad en sus tareas también. Como Scrum Master, tiene que planificar cualquiera de las revisiones, reuniones de pie u otras ceremonias. Si usted falla en esta área, se convertirá en una bola de nieve para el equipo de desarrollo y eventualmente para el producto que el equipo pretende entregar. Admiro la definición compartida por la Universidad de Nottingham Trent, que dice: "El liderazgo responsable consiste en tomar decisiones empresariales sostenibles que tengan en cuenta los intereses de todas las partes interesadas, incluidos los accionistas, los empleados, los clientes, los proveedores, la comunidad, el medio ambiente y las generaciones futuras". Me gusta esta definición en particular porque deja claro que la responsabilidad es más que la autosuficiencia. Por supuesto, tenemos que ser responsables de nuestras tareas y terminarlas con gran esfuerzo, pero hay algo más; la responsabilidad no se detiene ahí. Aplicando el Scrum, desarrollará un mayor sentido de responsabilidad sobre el producto a entregar, debido al énfasis en la colaboración.

Sea amable. No conozco a nadie que quiera un gerente o un Scrum Master que sea grosero y se queje continuamente con cada persona del equipo. En lugar de estar frustrado todo el tiempo, sea amable. Sea el que levanta a la gente cuando están deprimidos. Sea el que escucha a los demás y aborda los problemas tan pronto como surgen. Sea el que marca la diferencia entre un buen y un gran equipo. Comportarse de manera positiva y ser amigable puede cambiar el desempeño de su equipo para mejor, incluso si el equipo está lleno de practicantes de Scrum principiantes.

Para entrar más en el proceso y en los aspectos prácticos: por lo general, el equipo Scrum está formado por unos cinco a nueve miembros. Todos los roles deben estar representados: Propietario del producto, Scrum Master, y el Equipo de Desarrollo. El equipo debe tener profesionales con todas las habilidades necesarias para llevar a cabo el proyecto. No hay una forma única de organizar el equipo. Esto depende principalmente del tipo de proyecto y de la organización, pero hay algunas formas comunes de organizar un equipo.

o **Centrarse en los clientes y usuarios finales.** Un producto que se desarrolla durante un proyecto Scrum puede tener varias variables y numerosos tipos de usuarios. Tener una organización basada en los clientes facilita el proceso de desarrollo, porque hace que el equipo se centre en lo que el cliente realmente quiere y no en lo que el equipo *cree* que el cliente quiere.

o **Centrarse en los productos.** Este tipo de equipos se ven normalmente en las empresas de nueva creación porque no tienen la cantidad de complejidad que tienen las empresas más grandes. Por lo tanto, los productos pueden ser desarrollados con características menos complejas a un ritmo más rápido.

o **Centrarse en las características.** Cuando se trabaja en un proyecto, el equipo quiere centrarse en añadir, eliminar o innovar características. Esto es especialmente útil si el producto que se va a desarrollar es demasiado significativo para que un solo equipo pueda avanzar.

o **Centrarse en una combinación de factores.** Aunque hay varias vías para organizar a su equipo, puede ser aconsejable que su equipo tome lo mejor de estas **vías** de organización mencionadas. Por lo tanto, una combinación de centrarse en el cliente, los productos y las características, son más útiles en la práctica. De lo contrario, el equipo podría centrarse demasiado en un subconjunto particular, mientras que el proyecto está interconectado entre múltiples subgrupos, como los diferentes clientes, productos o tipos de productos que desean, y las características específicas de cada tipo.

Además de la planificación del sprint, debemos ver cómo los miembros del equipo de desarrollo trabajan juntos. Dentro de Scrum, trabajamos con equipos multidisciplinarios con diversos conocimientos. Digamos que tenemos dos diseñadores con experiencia de usuario (UX), tres desarrolladores de software y un tester. Los diseñadores de UX se centran en el aspecto del incremento del producto; hacen varias maquetas, wireframes, y más. Los desarrolladores de software escriben el código para el incremento del producto, y los testers se aseguran de que los casos de prueba sean atendidos. Como puede considerar, esto puede crear varios límites, como hemos visto en las metodologías tradicionales. Estos límites pueden ser físicos, pero también organizativos. ¿Y si los diseñadores quieren seguir diseñando hasta que todo sea "perfecto"? ¿Y si los desarrolladores quieren escribir todo el código "perfectamente" antes de discutirlo con el tester? Porque no han terminado con las tareas, se sientan en habitaciones separadas. Esto está lejos de ser ideal. Por lo tanto, asegúrese de tener en cuenta lo siguiente para evitar las trampas de las metodologías tradicionales:

- **Asegúrese de que los profesionales se sienten juntos.** Todos ustedes son un equipo por una razón. Un equipo está destinado a estar cerca de los demás y no en habitaciones separadas. Permita que los miembros del equipo se sienten con los profesionales con los que trabajan en el sprint. Coloque sus escritorios uno al lado del otro y elimine los límites físicos en la medida de lo posible.

- **No espere.** Por favor, asegúrese de que ningún miembro del equipo esté esperando. En lugar de eso, *adopte la forma iterativa de trabajo* proclamada en las metodologías ágiles. Por ejemplo, en el caso de los diseñadores, mostrar los primeros bocetos a los desarrolladores. Y los desarrolladores, cuando terminen la primera media página del incremento del producto, mostrarlo al tester y explicar los detalles. Después, los testers pueden encontrar una forma adecuada de probar el incremento del producto, interactuando con los desarrolladores para obtener claridad. Por ejemplo, los testers podrían pensar en: "¿Qué pasa si el cliente añade una 'y' en la función de búsqueda?". Más sobre esto se discutirá más adelante, porque estos tipos de residuos son cruciales en los proyectos Scrum.

o **Limite el "trabajo en curso".** Al igual que el punto anterior, esto no es necesariamente algo dentro de Scrum sino más bien de Lean y Kanban. A pesar de esto, puede ser un factor que cambie los resultados generales de su proyecto Scrum. Por lo tanto, asegúrese de limitar el "trabajo en curso" en lo que respecta a los distintos miembros del equipo. Por ejemplo, si los desarrolladores de software avanzan y terminan tres páginas, pero el tester solo puede probar una página, esto crea un cuello de botella en el proceso y deja al tester abrumado. Con un equipo que adopta el trabajo iterativo y colaborativo, esto es más fácil de lo que se piensa. Trabajar en una cosa, por ejemplo, una página, terminarla y pasar a la siguiente.

Cuando el equipo Scrum trabaja, es esencial tener un flujo continuo día tras día. Los diseñadores de UX y los desarrolladores de software están diseñando y desarrollando el software. Los desarrolladores están escribiendo una prueba unitaria y probando lo que están haciendo, hasta cierto punto. Luego, este trabajo es verificado en un control de fuente que está conectado a la integración continua. La integración continua ayuda al equipo a diseñar un software de calidad más rápido. También ayuda a entregar nuevas funcionalidades a los clientes o interesados más rápidamente mientras los desarrolladores se vuelven más productivos y mejoran la calidad del software. Con las herramientas de integración continua como las creadas por Google Cloud, se pueden crear construcciones automatizadas, realizar pruebas, entregar entornos y escanear artefactos en busca de vulnerabilidades de seguridad, todo en cuestión de minutos. La integración continua es esencial para hacer que su equipo trabaje como "un solo cuerpo". En resumen, estos son algunos de los beneficios:

- **Un desarrollo más eficiente y una mayor productividad.** Acelerar la retroalimentación de los desarrolladores ejecutando construcciones y pruebas en máquinas que están conectadas a través de redes de alto rendimiento. Realizar construcciones en paralelo en múltiples ordenadores para una rápida retroalimentación. Esto resulta en un menor tiempo de detección de errores.

- **Escale a la luna sin preocuparse por el mantenimiento.** ¿Le preocupa el largo tiempo de diseño y pruebas que su equipo enfrenta cuando crece? Hay varias herramientas para la integración continua que se escalan automáticamente. Esto permite al equipo hacer cien o incluso miles de construcciones cuando la cantidad de miembros del equipo o proyectos crece.

- **Haga que los productos incrementales seguros sean parte de los esfuerzos de su equipo.** No imagine la seguridad al final de un sprint. Asegúrese de que la seguridad se compruebe continuamente. Si los miembros del equipo no quieren ocuparse de esto por sí mismos, asegúrese de tener algunas herramientas para hacerlo. Muchas herramientas pueden buscar problemas de seguridad tan pronto como se introducen nuevos artefactos. Incluso dan la opción de exportar informes detallados sobre el impacto de estos problemas de seguridad y sus posibles soluciones. Además, es posible establecer políticas para diferentes entornos de trabajo. Así, solo los artefactos verificados tendrán un lugar en el producto final.

- **Otorgue a su equipo más flexibilidad.** Con el software de integración continua, puede empaquetar su código fuente en contenedores Docker, por ejemplo, o en artefactos que no sean contenedores. Esto hace posible construir herramientas que vemos en muchas organizaciones, ya sean pequeñas o grandes, como Maven o Go.

Cuando un nuevo código se comprueba en este sistema de integración continua, inmediatamente es captado y construido con todo lo demás. Esto debe ser entendido en un equipo que frecuentemente trabaja en la misma base de código, como Go. Cuando este es el caso, en el momento en que un desarrollador comprueba algo en el control de la fuente, sabe si se interrumpe algo que alguien más ha desarrollado. Después, puede centrarse en la ejecución de pruebas de características, como la característica de búsqueda. Por lo general, en las etapas preliminares, las pruebas serán hechas manualmente por los miembros del equipo.

Para la satisfacción del cliente, la prueba es imperativa. Es crucial para los clientes que el producto que el equipo desarrolla funcione bien. Eso significa que no hay errores, bugs, y que el producto hace lo que debe hacer basado en los requisitos establecidos. En Scrum, los desarrolladores prueban si lo que han desarrollado funciona, pero para los grandes proyectos, esto es mucho más complejo y requiere mucho más tiempo. Un simple formulario de búsqueda tendrá, en algunos casos, rápidamente docenas de resultados diferentes, o escenarios, basados en el formulario. Todos estos escenarios deben ser comprobados. Afortunadamente, es posible probar automáticamente estos tipos de escenarios usando varias herramientas o software. Aunque la automatización de las pruebas es genial, no siempre es posible. Una desventaja de la automatización de este proceso es que la creación de pruebas automáticas requiere tiempo y dinero. Hay que llegar a acuerdos claros con el equipo sobre qué escenarios se prueban y cuáles no, con qué frecuencia se prueban y cómo es la prueba. Las pruebas deben ser escritas y revisadas por varios expertos que trabajan en el producto. Muchos tipos de pruebas pueden ser automatizadas, pero con una prueba de usuario, esto es un poco más complicado. La prueba manual por el grupo objetivo es normalmente esencial aquí.

Por otro lado, hay herramientas para medir la experiencia del usuario de forma automática. Las pruebas automáticas pueden proporcionar una sensación de falsa seguridad. Sin embargo, es esencial monitorear las pruebas y el incremento del producto en el que el equipo está trabajando. Podría ser una característica de un sitio web, una aplicación o una tienda virtual. Por lo tanto, automatizar las pruebas no significa que ningún miembro del equipo tenga que hacer nada para que esto funcione. Sin embargo, cuando todo esté en marcha, tendrá un efecto tremendo en la productividad del equipo a largo plazo.

Lo que tiene que recordar es que las pruebas no son algo que se hace al final del sprint. Las pruebas deben hacerse (casi) todos los días que el equipo se reúna. Las pruebas continuas hacen visibles los posibles cuellos de botella y permiten al equipo ajustarse rápidamente, siempre que sea necesario. Este es el concepto de inspeccionar y adaptarse a un nivel micro, es decir, dentro de un sprint.

Al principio, si los miembros del equipo son nuevos en el Scrum, pueden ver que trabajar en estos pequeños incrementos es menos eficiente. Como cuando un desarrollador dice: "Puedo desarrollar más páginas, ¿por qué tengo que esperar?". Bueno, el desarrollador puede ser capaz de desarrollar diez cosas, pero solo podemos testear tres. Desarrollar más no es útil, porque no es posible liberar un código no probado. Más adelante, este enfoque de hacer a veces menos valdrá la pena, porque nada–o muy poco–tiene que cambiar para que las cosas funcionen al final del sprint. Dejar que cada profesional se ocupe de su trabajo en su totalidad antes de discutir fue un elemento crítico en la forma en la que se abordaron los proyectos en el pasado. Sin embargo, esto resultó en muchas frustraciones, porque muchas cosas tuvieron que cambiar más adelante. Con Scrum, estos cambios pueden ser atendidos inmediatamente después de que los profesionales hayan discutido su progreso. Por lo tanto, en una etapa posterior, no hay mucho que “limpiar” o reparar, lo cual termina ahorrando mucho un tiempo y dinero.

Capítulo 5: Artefactos de Scrum

Además de los papeles particulares, Scrum tiene múltiples artefactos. En la práctica, vemos que los equipos de Scrum comienzan con la llamada "visión del producto". Aunque esto no es necesariamente parte de la Guía de Scrum, he notado que los proyectos luchan sin ella. Sin este artefacto, es difícil–incluso imposible–avanzar en un proyecto y obtener excelentes resultados. La visión del producto nos ayuda a seguir adelante con el proyecto. Deja claro quién es nuestro mercado objetivo, quiénes son las personas que necesitarán lo que producimos durante el proyecto, y cuáles son sus deseos. ¿A qué retos se enfrentan? Además, la visión del producto debe ser clara sobre la necesidad u oportunidad de negocio específica que el equipo persigue.

Además, describe los elementos clave que son necesarios para el producto que se desarrollará durante el proyecto. Por último, debe haber una comprensión cabal del valor que el proyecto aportará a la organización. Por lo general, el "por qué" es vago para las personas que trabajan en el proyecto, lo que dificulta el trabajo duro para alcanzar el objetivo. Es "por qué" podría ser cualquier cosa, desde la cantidad de dinero obtenida por la empresa hasta la creación de un mayor impacto para su mercado específico.

Otro artefacto crítico que puede no ser parte de la Guía de Scrum es el plan de lanzamiento. Aunque no es necesariamente parte de la Guía de Scrum en sí, en cualquier proyecto tenemos que conocer el plan de juego, y el plan de lanzamiento simplifica este proceso. Las respuestas a preguntas como: "¿Cómo vamos a enfrentar los desafíos y superar los obstáculos desconocidos?" y "¿Cuándo se entregarán las cosas?" se pronostican totalmente basadas en datos empíricos. Los datos empíricos son datos sobre cómo se ha desempeñado el equipo en el pasado. Por lo tanto, no se trata de cómo pensamos que vamos a hacerlo, sino de lo que los miembros del equipo han demostrado que *pueden* hacer. Usted debe saber que el plan de lanzamiento tiene una superposición en la parte superior del Product Backlog. Nos dice cuántas cosas del Product Backlog se pueden hacer en cada bucle de retroalimentación. Además, el plan de lanzamiento se actualiza en cada sprint porque mientras trabajamos, recogemos más y más datos empíricos sobre cómo va el trabajo, y si el equipo va por el buen camino. A continuación, puede leer más acerca de los artefactos de Scrum más importantes que se encuentran en la Guía de Scrum.

Product Backlog

Probablemente el artefacto más crucial de Scrum es el Product Backlog. Esta es una de las dos listas principales utilizadas en Scrum. Este es el artefacto que es administrado por el Propietario del Producto, como se explicó anteriormente. ¿Por qué es tan importante este artefacto? Es vital porque es la fuente de todas las cosas que se requieren en el producto incremental. Es una lista bien ordenada y priorizada de todas las funciones, requisitos, correcciones y mejoras del producto incremental. No hay ningún otro artefacto o documento en el que se enumeren los requisitos. Todos los miembros del equipo se refieren a este artefacto, y solo a este; no debería haber múltiples versiones dando vueltas.

El Product Backlog es la lista que contiene todo lo que hay que hacer para crear el producto. Es así de simple, y las cosas no deberían ser complicadas sin motivo. La idea es que usted sepa qué hacer, y que todos sepan lo que se ha acordado, y que el trabajo todavía se tiene que hacer. Scrum no es solo empezar sin una meta o dirección; como muestra la visión del producto. Pero, en Scrum, reconocemos el hecho de que las cosas cambian durante el proceso de trabajo y evolucionamos constantemente como equipo. Por eso el Product Backlog nunca es una lista estática de ítems. Las nuevas ideas significan que se añadirán nuevas cosas al Product Backlog; los problemas anteriores se eliminarán si se han solucionado; y el orden de los artículos puede cambiar. El desarrollo de nuevos productos es demasiado complicado para realizarlo con un plan preconcebido. El Product Backlog está lejos de ser un plan preconcebido, da cabida a los proyectos innovadores y dinámicos a los que nos enfrentamos hoy en día. El punto crítico es que el Product Backlog solo responde al "qué", es decir, a las propiedades del producto en un sentido funcional. Por ejemplo, la función "Añadir al carrito". El objetivo del Product Backlog no es explicar el "cómo", por ejemplo, cómo el equipo de desarrollo va a averiguar el elemento del backlog "Añadir al carrito". Ese es el trabajo del equipo encargado de averiguarlo.

Al limitarse a responder el "qué", todos los involucrados se mantienen a bordo. Este backlog está hecho para todos: el equipo, pero también para los interesados internos y externos. Por lo tanto, es imperativo hacerlo comprensible para cada parte involucrada, ya sea técnica o no técnica. Aunque el "cómo" no se responde en el Product Backlog, es bueno tener una explicación del "por qué" un determinado elemento aparece en él. Cuando el backlog es claro y libre de jerga, constituye una herramienta de comunicación muy eficaz y atrae a las partes interesadas a participar en debates significativos.

El Product Backlog es gestionado por el Propietario del Producto. El Propietario del Producto es el jefe del Product Backlog. Solo el Propietario del Producto puede determinar si algo ocurre en el backlog y con qué prioridad. Como miembro del equipo, nunca use su posible conocimiento tecnológico, o cualquier conocimiento que pueda tener, para conseguir información sobre el Product Backlog. En otras palabras: como Propietario del Producto, no incluya en el backlog cosas que provengan del equipo que no entienda. Si lo explican y se aclara, siempre puede añadirlo al backlog. Sin embargo, si tiene dudas, no lo agregue al backlog. Por lo general, puede identificar estos elementos discutibles, cuando un miembro del equipo utiliza palabras como "genérico", "arrepentimiento", y "más tarde", en su explicación.

Espero que ya se hayan dado cuenta de que los ítems del Product Backlog se llaman ítems del Product Backlog. Sí, no es muy innovador, pero hace el trabajo. Lo que solemos ver en los proyectos reales de Scrum es que estos elementos del Product Backlog están formados por historias de usuarios. Las historias de usuario son una forma particular de describir los requisitos funcionales en el Product Backlog. Estas historias tienen por objeto expresar específicamente los deseos de los usuarios en materia de funcionalidad. Esto se explicará más adelante. Sin embargo, no todo lo que está en el Backlog es una historia de usuario o un requisito. Varios tipos de ítems pueden formar parte del Product Backlog, como, por ejemplo:

- **Problemas**. Durante el proyecto, pueden aparecer múltiples errores o problemas que necesitan ser arreglados para avanzar. Por lo tanto, no se debe crear ninguna otra hoja de cálculo o documento con errores o similares. Estos deberían tener un lugar en el backlog.

- **Requisitos**. Por supuesto, los requisitos también tienen un lugar en el backlog. Estos pueden ser de numerosos tipos, como requisitos funcionales, no funcionales, requisitos del sistema, etc.

- **Anhelos y deseos.** Cuando se trabaja en el producto, los interesados pueden dar su opinión y compartir sus conocimientos. Lo mismo ocurre con los clientes, que pueden desear ciertas características. Si el equipo ve el valor en estos asuntos, pueden añadirse al Product Backlog.

Cuando este tipo de ítems tienen un lugar en el Backlog, esto crea más transparencia. Después de que el backlog es definido, es hora de priorizarlos. Los elementos esenciales del Backlog deben tener un lugar en la parte superior, y deben estar en orden. Para facilitar este proceso, se puede hacer uso del método MoSCoW, que es un método para priorizar las tareas y llegar a un entendimiento común con los miembros del equipo, (qué trabajo debe ser tratado primero, cuál después, etc.) MoSCoW es un acrónimo de lo siguiente:

- **Imprescindibles**. Estos son los requisitos que tienen que estar en el producto final. Sin ellos, el producto es inútil.
- **Debe tener.** Cuando lo "imprescindible" es abordado a continuación se pasa a lo que se debe tener. Estos son los asuntos que son muy deseables, pero el producto podría sobrevivir sin ellos.
- **Podría tener.** Estos son requisitos en los que el equipo solo debe embarcarse cuando queda tiempo en un sprint.
- **No lo tendrá.** Estos son los asuntos que no se abordarán en el actual sprint(s) pero que pueden ser útiles en futuros proyectos.

Usar esta técnica es útil, pero asegúrese de que el equipo no caiga en algunas trampas comunes. Lo que puede suceder es que los miembros del equipo pongan todos o–demasiados elementos– en la categoría de "imprescindible". Siempre compruebe dos o tres veces si estas cosas son vitales para dar vida al producto. Además, los miembros del equipo pueden ser parciales cuando los ítems se clasifican juntos. Por lo tanto, puede dejar que cada uno clasifique los artículos primero y luego discutir la clasificación de cada miembro del equipo. Esto deja espacio para la discusión y aporta valiosas ideas. Como equipo, debemos atrevernos a proponer soluciones sencillas que dejen espacio para añadir complejidad en las últimas etapas de la producción. La búsqueda de soluciones simples puede ayudar a abordar los temas pendientes, porque los proyectos más grandes pueden tener alrededor de 55-65 elementos. En la práctica, incluso se puede encontrar una organización con cientos de ítems en el backlog. En resumen, esto está lejos de ser ideal, y es más que probable que el Product Backlog de productos esté lejos de ser optimizado. Siempre reevalúe si el backlog puede ser mejorado y reajustado. Si el backlog parece contener demasiadas tareas, vea si es posible combinar trabajos similares o reducir el número de tareas si no son necesarias por el momento. Haciendo esto se mantendrá el backlog limpio y claro. Incluso este tipo de agrupación puede hacerse en silencio por los miembros del equipo para evitar posibles sesgos.

	A	B	C	D
1	**Priority**	**Estimate**	**Description**	**Remark**
2	200	8	As a vacation shopper I want to compare different types of transport so that I can	
3	400	2	As a vacation shopper I want to receive a summary of my booking in my e-mail.	Make sure a summary appears on the webpage after booking and an email gets sent instantly afterwards.
4	1200	4	As an administrator I want to generate and track affiliate links	

Ejemplo inicial del Product Backlog

Además, debe tener en cuenta que más del 85 por ciento son requisitos funcionales. Si detecta muchos requisitos técnicos o errores en el backlog, esto debería alarmarle de que hay algunos problemas serios con la calidad del producto. Si no estás seguro de si un ítem del backlog debe ser eliminado, hay una técnica genial para ayudarle a obtener más claridad que se llama "cinco veces por qué". Esta técnica le permitirá averiguar la causa raíz o el problema subyacente del backlog preguntando "por qué" cinco veces. Así, puede evaluar si tiene sentido dejarlo en el backlog o no. A continuación, se muestra un ejemplo del método.

Digamos que hay un artículo backlog relacionado con un cliente que recibe órdenes con retraso tres veces seguidas.

¿Por qué Número 1?: ¿Por qué el cliente recibió estos pedidos demasiado tarde?

Respuesta: La empresa de transporte, responsable de la entrega, no tenía los datos correctos de la dirección del cliente.

¿Por qué Número 2?: ¿Por qué la compañía de transporte no tiene los datos correctos del cliente?

Respuesta: La dirección del envío no coincide con la dirección del cliente.

¿Por qué Número 3?: ¿Por qué la dirección del envío no coincide con la dirección del cliente?

o Respuesta: El cliente se mudó a una nueva ubicación hace tres meses, y esta nueva dirección aún no está incluida en la base de datos de clientes del proveedor.

¿Por qué Número 4?: ¿Por qué la nueva dirección del cliente no está aún incluida en la base de datos de clientes del proveedor?

o Respuesta: El administrador se olvidó de ella y ha estado enfermo por un par de semanas.

¿Por qué Número 5?: ¿Por qué nadie pensó en cambiar la dirección?

o Respuesta: Nadie más que el administrador tiene el derecho de hacer un cambio en la base de datos de clientes.

Además, existe una técnica para clasificar los ítems del Product Backlog, haciendo que los interesados voten los artículos en función de su importancia. Por ejemplo, esto se puede hacer dando a cada uno dos o tres votos y haciendo que los distribuyan en los ítems colocando un punto al lado de ellos. Si los votos se dividen y el orden se hace evidente, el Propietario del Producto intentará deshacerse del mayor número posible de ítems con los votos más bajos o sin ellos. Solo piénselo: si hay cuarenta votos para ser distribuidos entre veinte grupos de ítems backlog, entonces puede deshacerse con seguridad de cada ítem con dos o menos votos. Puede utilizar la misma técnica con las partes interesadas para obtener más respuestas.

En serio, el poder de simplemente eliminar cosas está muy subestimado. No hay nada más fácil que no implementar los elementos: ¡No lleva tiempo, no tiene errores, no tiene mantenimiento, y no tiene documentación! Presta atención a las emociones de los interesados. Algunos ítems con pocos votos pueden ser esenciales para un interesado, así que, si está pensando en tirar un ítem, antes de hacerlo tenga una buena discusión. Es extraño que alguien encuentre un ítem muy importante, pero que a nadie más parezca importarle. Tal vez no haya apoyo, y el interesado deba aceptarlo. Probablemente no hay entendimiento, y el interesado deba crear apoyo. Como Propietario del Producto, puede alentar a sus interesados a dar su opinión sobre la decisión que tomaron. Si esto plantea cuestiones que no pueden resolverse, entonces sabe que algunas cuestiones necesitan una mayor investigación. Esto le hace consciente de los probables obstáculos desde el principio, lo que es mucho mejor que aprender sobre estos problemas cuando ya es demasiado tarde en el proceso. Para ilustrar esto con más detalle, puede ser que un interesado particular sea mucho más importante que un interesado promedio. Debe darle más oportunidades de opinar para que quede claro a los demás interesados que su opinión tiene un impacto significativo. En los próximos capítulos, aprenderá más acerca de los aspectos prácticos del Product Backlog, como la realización de estimaciones adecuadas y la elaboración de historias de usuarios. Sin embargo, para este capítulo, echaremos un vistazo a algunos artefactos más críticos.

Sprint Backlog

El segundo artefacto crucial de Scrum es el llamado Sprint Backlog. Este artefacto se deriva del Product Backlog y puede ser visto como un plan para entregar el backlog para cada bucle corto de retroalimentación. El Sprint Backlog contiene todos los elementos para el sprint en el que el equipo está trabajando actualmente. En el Sprint Backlog, encontramos todas las tareas para cumplir con un ítem del backlog. Por ejemplo, tome un ítem del backlog: "Área de Banners" para una agencia de diseño web que construye un sitio web de e-commerce. La historia del usuario para este ítem es: "Como profesional del marketing, quiero ser capaz de hacer un anuncio para conseguir clientes para nuestros productos". Las tareas correspondientes que aparecerán en el Sprint Backlog son: "Hacer un área de banners en el sitio web", "Dar al profesional de marketing el derecho de colocar un banner en el sitio web", "Probar si el banner está disponible para los clientes".

Además, el Sprint Backlog es un artefacto que pertenece al Equipo de Desarrollo y no a usted como Scrum Master o Propietario de Producto. El equipo lo crea, lo administra y lo mantiene actualizado. Por supuesto, el Sprint Backlog es dinámico y debe estar disponible y visible.

Al comienzo del sprint, el Sprint Backlog se crea durante la planificación del sprint. Lo más lógico es tomar los elementos principales del Product Backlog y usarlos como base para el Sprint

Backlog. Pero puede ser útil elegir una composición ligeramente diferente según el objetivo que desee lograr durante el sprint. Esto se determina en la primera parte de la reunión de planificación del sprint. Puede ser que el Propietario del Producto vincule una serie de elementos que formen un tema, para que el Equipo de Desarrollo pueda llevar el producto a producción al final del sprint. También puede ser que, basándose en la última revisión del sprint, se tomen otras decisiones, en lugar de limitarse a recoger los ítems en la parte superior del Product Backlog.

La velocidad del equipo determina el número de ítems que se recogen; es decir, el número de puntos (puntos de historia) que un equipo puede abordar en un sprint, y esto suele basarse en los resultados obtenidos en el último sprint (más sobre esto más adelante). Puede ser, por supuesto, que un miembro del equipo esté ausente o que alguien esté entrenando. Entonces es bueno ajustar un poco la velocidad.

Cuando llene el Sprint Backlog, sea realista y no asuma más tareas de las que cree que puede manejar. Especialmente después de un sprint decepcionante, los equipos inexpertos a veces quieren ganar algo de confianza tomando menos elementos. Elija todo el trabajo que pueda entregar en base a los resultados recientes. En la segunda parte de la planificación del sprint, el equipo revisará los elementos con más detalle y los dividirá en partes más técnicas, para que quede más claro qué es lo que hay que hacer exactamente. Este es el momento en el que los elementos del Product Backlog, que describe principalmente el "qué" y "por qué", se traducen en tareas que describen el "cómo". Estas tareas más detalladas, junto con los elementos originales del Product Backlog, forman el Sprint Backlog.

El Sprint Backlog es creado por—y para—un Equipo de Desarrollo, como una herramienta para hacer clara la división del trabajo y para monitorear el progreso durante el sprint. Para ser más transparente, el equipo generalmente comparte el Sprint Backlog con todos. La mejor manera de hacerlo es colgar el Sprint Backlog en la pared de la sala del equipo o escribirlo en una pizarra para crear una "pizarra Scrum" (es una pizarra con los elementos del Sprint Backlog que se toman en un sprint específico y los ítems extraídos de cada elemento). Utilice marcadores, papel y notas adhesivas para crear un Sprint Backlog: es así de fácil. Puedes usar colores para varios tipos de elementos, por ejemplo: verde para los elementos del Product Backlog, rojo para los bugs, etc. También puede darles a las tareas en curso una etiqueta con el nombre de las personas que están trabajando en ellas. Haga su propia pizarra, pero no olvide agregar primero los elementos fundamentales de Scrum.

Depende del equipo determinar el nivel de detalle que necesita para completar las tareas. Cuando el equipo haya discutido los elementos del Product Backlog y el Sprint Backlog esté listo, el trabajo puede comenzar. Sin embargo, siempre asegúrese de que el equipo de desarrollo se haya comprometido sustancialmente con el Propietario del Producto.

Gráfico Burndown, Lista de impedimentos, y la Definición de Hecho

Otros dos artefactos importantes de Scrum son el gráfico burndown y la lista de impedimentos, que registran el trabajo que queda cada día. La gráfica burndown proporciona una visión de cuántas horas quedan para entregar el producto incremental del sprint. Si está actualizando el registro de sprint, no hay mucha dificultad en actualizar el gráfico burndown para el equipo de desarrollo también. El gráfico burndown es simplemente para obtener una vista rápida de cómo se está desempeñando el equipo y para ver si está en la pista en cuanto al tiempo. El gráfico de burndown puede ser mostrado en una pizarra o digitalmente con una pantalla plana. La esencia es que, al igual que el Sprint Backlog, esté disponible y sea visible. Ningún miembro del equipo debe ser capaz de pasarlo por alto.

El siguiente artefacto de Scrum es necesario que sea visible la lista de impedimentos. Para esta lista, anotamos todo lo que podría bloquear o afectar la ruta y retrasar la consecución del objetivo. El equipo de Scrum debería actualizar esto. Si usted es el Scrum Master que monitorea el progreso del equipo, este artefacto es crucial. Puede agregarle algo, pero el equipo de desarrollo debe hacer esto primero y principalmente. Si algo no puede ser arreglado en este momento, esto puede pasar al Scrum Master, quien encontrará otros profesionales para que lo revisen. Sin embargo, esto no significa que el Scrum Master sea el propietario.

En cada sprint, es esencial tener una "definición de hecho" para el equipo. En los capítulos anteriores, hemos hablado de la definición de hecho. No es exactamente una lista, pero está relacionada con las listas. Esto responde a la pregunta: ¿Qué queremos decir cuando consideramos que el trabajo está "terminado"? Hay que llegar a un acuerdo previo para decidir lo que debe estar terminado. Esto puede variar mucho de un proyecto a otro, pero la norma es que "listo" en Scrum significa que se puede llevar a producción. La definición de hecho es elaborada por el propietario del producto y el equipo de desarrollo. Por ejemplo, digamos que una empresa de software ficticia llamada xSoft Solutions quiere hacer una "definición de hecho". El equipo de Scrum deberá considerar estos componentes:

- Todo el código está escrito y cumple con los estándares acordados.
- El trabajo ha sido probado funcionalmente. ¿Funciona todo como debería funcionar para los usuarios finales?
- Hay documentación disponible cuando se necesita para explicar ciertas partes o características.
- Etcétera.

La definición de hecho puede ser anotada en un papel y colocada al lado del Sprint Backlog o la pizarra Scrum.

Capítulo 6: Ceremonias de Scrum, Reuniones y Agendas

Dentro de Scrum, hay varios eventos o ceremonias. La mayoría de la gente no encuentra dificultades para obtener conocimientos sobre el Scrum, pero lo hacen cuando implementan los conocimientos que obtuvieron. Este capítulo desmitifica el proceso de ejecución de Scrum, observando la reunión de planificación del sprint, el trabajo en equipo, la celebración de la reunión de pie, el control de calidad, y cómo preparar el producto que se va a entregar.

En primer lugar, como ya se ha dicho, empezamos con la planificación del sprint. La selección de los elementos en los que se va a trabajar debe hacerse con el conocimiento del rendimiento y la capacidad pasados. Si el equipo A, por ejemplo, ha sido constante en la entrega de cuatro elementos del backlog en cada sprint, esto se puede tener en cuenta. Lo mismo ocurre con la capacidad. Si, por ejemplo, un miembro del equipo se enferma, este vacío debe ser tenido en cuenta. Dejar claro *cómo* se entregarán los artículos en el Sprint Backlog: todas las tareas que hay que hacer, como la documentación, las pruebas, el diseño—lo que sea para terminar el incremento del producto.

La Reunión de Planificación del Sprint: Ejecución

El equipo completo de Scrum estará presente en la reunión de planificación del sprint: El Propietario del Producto, el Equipo de Desarrollo y el Scrum Master. Además de tener en cuenta la velocidad del equipo al ejecutar los elementos pendientes, la capacidad del equipo no debe ser pasada por alto. ¿Estarán todos los miembros del equipo presentes durante el sprint? ¿Un miembro del equipo se va de vacaciones? ¿Todo el equipo visitará un seminario? Etcétera. Un ítem del backlog en la parte superior puede ser cambiado por otro menos pesado que se ajuste bien a la capacidad disponible. Sin importar la capacidad, es vital tener un ritmo razonable para hacer frente a los ítems del backlog. El equipo solo debe traer los ítems que crean que tienen más probabilidades de completar en su totalidad.

Además, debe determinar la longitud de su sprint. La longitud varía según el proyecto y la disponibilidad de los miembros del equipo. No debería ser menos de una semana y no más de cuatro semanas. Una vez que usted ha determinado la longitud, apéguese a ella. Si el sprint se terminó antes, lleve más ítems. Con la longitud en su lugar, identifique y anote un objetivo para el sprint. Este objetivo tiene el carácter de una mini visión de producto. Dará una idea general del incremento del producto en el cual el equipo de desarrollo está trabajando.

Para ilustrar más esto, tomemos la empresa de e-commerce ficticia: Pineapples Inc., que está trabajando en un nuevo sitio web. Cuando el equipo de Pineapples Inc. celebró la reunión de planificación del sprint, decidieron asumir los siguientes ítems del Product Backlog:

- Añadir "buscar en el catálogo" para que los clientes encuentren productos para añadir a sus carros de compra en línea.

o Proporcionar valiosas sugerencias de productos a los clientes habituales.

o Actualizar y ampliar la plataforma de pago.

Si el equipo encuentra que la velocidad y la capacidad no se ajustan a los ítems seleccionados, se podría cambiar un artículo para que coincida con estos. Afortunadamente, en nuestro ejemplo, el equipo de Pineapples Inc. ha hecho un gran trabajo escogiendo los ítems para que no tengan que ser cambiados. Por lo tanto, en base a estas tareas, el objetivo del sprint debe ser formulado. Ahora, esto puede sonar como una tarea, ya que los elementos mencionados anteriormente parecen diversos. Sin embargo, el propietario del producto no les dio prioridad sin razón. Lo más probable es que valore la contribución agregada de estos tres ítems y tenga una imagen del producto en mente cuando reciba un incremento que combine estos artículos del backlog. El objetivo del sprint podría ser: "Desarrollar una solución transaccional de autoservicio que permita a los compradores de Pineapples Inc. comprar productos y recibir sugerencias de productos".

Al crear el Sprint Backlog, el propietario del producto y el equipo de desarrollo se reunirán en la misma habitación. El Propietario del Producto presentará los elementos del backlog que asumirán, responderá a cualquier problema, y luego el equipo discutirá el diseño. Por ejemplo, tomemos el primer ítem del Product Backlog mencionado anteriormente. Todo se trata de "buscar en el catálogo". Este ítem del backlog puede ser dividido en tareas más pequeñas, como la creación de la página real donde los clientes pueden buscar, escribir el código y las consultas, y probar la función de búsqueda. Después de que las tareas se definan, coloque la cantidad de tiempo que se espera que tome cada tarea. Por ejemplo, crear la página llevará siete horas, escribir el código y las consultas llevará otras diez horas, y probar todo lleva once horas. Todos los elementos necesarios para completar el ítem del backlog deben ser reducidos a tareas como estas que pueden ser tomadas día tras día. Por supuesto, las horas empleadas pueden variar y pueden cambiar a medida que el tiempo avanza. Pero no se preocupe. Con el tiempo, el equipo se vuelve más inteligente y más preciso en la asignación de tiempos a ítems específicos.

Los equipos de Scrum exitosos tienden a utilizar un método primario al crear estas tareas más pequeñas, o ítems de Sprint Backlog. Con un amplio enfoque, se esfuerzan por abordar estos elementos, aunque parezcan desafiantes. Todo lo que hace el equipo Scrum—cada decisión que toma y cada acción que realiza—se hace con un acrónimo en mente, concretamente: SMART. La intensa concentración en el cumplimiento de los elementos de este acrónimo es lo que permite a los excelentes equipos de Scrum lograr lo que otros equipos solo ven en sus sueños. Según un estudio de Willis Towers Watson, la mitad de los gerentes no establecen objetivos prácticos para los empleados, y mucho menos objetivos para los elementos de Sprint Backlog. Entonces, ¿qué significa SMART y cómo puede ayudar al equipo Scrum?

SMART es una forma de comprobar si los objetivos son **E**specíficos, **M**edibles, **A**ceptables, **R**ealistas, y tienen un **T**iempo límite. Los objetivos suelen estar formulados de manera vaga. Parecen más deseos que objetivos concretos. Para terminar un sprint en el tiempo estipulado, les aconsejo encarecidamente que usen SMART.

Específico. Ser específico significa que está claro para todos cuál es el objetivo y qué resultado se quiere conseguir. Para hacer un objetivo específico, hágase estas preguntas:

- ¿Qué queremos lograr?
- ¿Por qué queremos lograrlo?
- ¿Cuándo sucede?
- ¿Quién está involucrado?
- ¿Dónde sucederá?

En resumen, describa el objetivo de forma clara y concreta, con una acción, comportamiento o resultado perceptible al que se adjunta un número, una cantidad, un porcentaje u otros datos cuantitativos.

Medible. Esto se relaciona con la calidad de los esfuerzos a realizar. ¿Cuánto vamos a hacer? ¿Cómo podemos medirlo? ¿Cuál es el resultado cuando terminamos? Usted debe ser capaz de ver, oír, saborear, oler o sentir un objetivo SMART. Debe ser un sistema, un método y un procedimiento para determinar el grado de consecución del objetivo en un momento dado. Si es posible, realice una evaluación base para determinar el punto de partida.

Aceptable. Si se fija un objetivo SMART para usted, basta con que lo acepte usted mismo. Sin embargo, cuando se establece un objetivo para un grupo de personas, debe haber apoyo y los miembros del equipo deben estar de acuerdo con él. De lo contrario, no asumirán la responsabilidad necesaria para lograr el objetivo. Cuando los objetivos individuales y los objetivos de la organización no están alineados, la meta no se cumplirá, o el cambio no durará. Existen varios métodos para asegurar que las metas estén bien alineadas. Lo principal es asegurarse de que haya un compromiso entre usted y los miembros de su equipo. Tiene que involucrar activamente a los miembros de su equipo en la elección y formulación de los objetivos. Cada miembro del equipo debe tener la oportunidad de dar su palabra.

Además, algunos expertos tienden a explicar "A" como: "Orientado a la acción" o "Alcanzable". Estos términos indican los elementos necesarios para una meta exitosa, es decir, nos muestran que una meta debe provocar la acción y ser algo que el equipo pueda lograr. Tengan en cuenta que un objetivo formulado de la manera SMART prescribe un resultado particular, no un esfuerzo.

Realista. ¿Es el objetivo alcanzable? ¿Existe un plan factible que requiera un esfuerzo aceptable? ¿Pueden las partes involucradas influir en los resultados solicitados? ¿Cuentan con suficientes conocimientos técnicos, capacidad, recursos y aptitudes? Es esencial examinar más de cerca estos aspectos porque un objetivo inalcanzable no motiva a las personas. A veces la "R" también se explica como "Relevante". Un objetivo factible y significativo es motivador. Un objetivo realista tiene en cuenta la práctica. No hay ninguna organización en la que la gente trabaje sobre un objetivo durante el cien por cien del tiempo. Siempre hay otras actividades, eventos inesperados y distracciones.

Un objetivo también puede ser poco realista si se impone sobre la organización a un nivel demasiado bajo. Por ejemplo, el objetivo: "Aumentar los beneficios en un nueve por ciento dentro de un año", no es un buen objetivo para el departamento de marketing, porque el beneficio es un resultado integral de toda la empresa. Un objetivo que es demasiado fácil de alcanzar tampoco es emocionante, porque no desafía al equipo Scrum. Lo mejor es establecer objetivos que estén justo por encima del nivel del equipo para que sigan mejorando. Si la gente siente que tiene que hacer un esfuerzo extra para alcanzar un objetivo, se sentirá mucho mejor cuando lo logre. Esto fomenta la energía para conseguir más objetivos en diferentes sprints.

Tiempo límite. En general, SMART se utiliza para objetivos a corto plazo. Por lo tanto, es perfecto para darle más sentido al Sprint Backlog, porque estos se llevan a cabo diariamente. Hay que tener en cuenta que es esencial saber que un objetivo SMART tiene una fecha de inicio y fin definida. Las siguientes preguntas pueden ayudarle más:

- ¿Cuándo estará listo?
- ¿Cuándo comenzarán las actividades?
- ¿Cuándo se ha alcanzado el objetivo?

Para ilustrar mejor un objetivo SMART bien definido y no tan bien definido, compruebe esto:

- Bien definido: "Al final del primer sprint, el lunes 2 de diciembre, el equipo quiere una página de búsqueda terminada con las características X, Y, y Z, donde los clientes pueden buscar en el catálogo para encontrar productos para añadir al carrito de compras en línea".

o No tan bien definido: "Como equipo, queremos una bonita página de búsqueda para los clientes". Este objetivo no es lo suficientemente específico, no es medible, no es aceptable, no es realista (porque no se sabe qué hacer), y no tiene un tiempo límite.

Cuando se establecen los objetivos, asegúrese de que todos se comprometan verbalmente con los objetivos o con los ítems del Sprint Backlog.

Ya hemos mencionado los sprints, pero vamos a acercarnos para saber de qué se trata el evento Sprint. En la mayoría de los casos, el sprint está limitado a un par de semanas, de dos a cuatro semanas y nada más. No renuncie a esto a menos que haya una gran razón para hacerlo.

Como saben, establecer metas es crucial para cualquier éxito. Lo mismo ocurre con un sprint exitoso. Por lo tanto, asegúrese de que cada sprint que corra tenga un objetivo de sprint comprensible, y visible para todos los miembros del equipo de desarrollo y para cualquier persona interesada. Después de cada sprint, deberá tener un incremento liberable del producto. Por ejemplo, una pantalla de acceso y la posibilidad de que los usuarios se conecten a la plataforma de una empresa de e-learning. Aunque la pantalla de inicio de sesión pueda realizarse, no significa que se entregue este producto incremental al mercado. Pero debe tener el potencial de ir a producción con el menor esfuerzo posible. Finalmente, el alcance es fijado por el Equipo Scrum y no por el departamento de ventas o de marketing.

Reunión de Pie: Ejecución

Otro evento es la reunión diaria de Scrum o reunión de pie. Este evento tiene una duración máxima de quince minutos. Con un equipo de Scrum de alrededor de cinco a nueve miembros y un conciso Sprint Backlog, esto es suficiente. Tenga cuidado de no exceder este tiempo estipulado. La reunión de pie no es el momento para detalles intrincados en términos de diseño o desarrollo. Puede tener otras reuniones para hacer eso. Específicamente, con este evento, se llega a conocer el trabajo que cada miembro del equipo hizo ayer, lo que harán hoy, y si han encontrado algún obstáculo en el camino. Durante la reunión de pie, cada miembro del equipo Scrum responde a las siguientes preguntas:

- ¿Qué logro desde la última reunión de pie?
- ¿Qué logrará hoy?
- ¿Espera obstáculos, puede el equipo ayudarle de alguna manera?

Algunas personas pueden "responder" a las preguntas sin contestarlas, por lo que es importante ser claro y dar un contexto. Por experiencia, he escuchado a varios profesionales responder a estas preguntas, pero muchos otros miembros del equipo aún no se percatan de lo que están haciendo.

Hay muchas maneras de llevar a cabo reuniones de pie; algunas pueden ser más constructivas que otras. Realizar la reunión diaria de scrum o de pie es algo que se hace todos los días de trabajo. La reunión de pie es principalmente para el Equipo de Desarrollo. El Scrum Master debe estar allí tanto como pueda para asegurarse de que todo va bien. Si hay otras partes interesadas presentes, ellos pueden asistir, pero deben mantener cualquier pregunta hasta después de la reunión. Asegúrese de hacer espacio para la reunión de pie; reserve el mismo lugar y hora para esta reunión.

Para aclarar las cosas, rellene su tabla de scrum física o digital. Esta tabla Scrum le da al equipo una representación visual del trabajo. Los miembros del equipo seguirán respondiendo las preguntas, pero ahora se hará más visible. De esta manera, aunque usted, como miembro del equipo, no esté trabajando en una tarea, puede ver las tareas que aún no están hechas y si algo está bloqueando la realización de una tarea.

Un ejemplo de pizarra Scrum es el siguiente: una pizarra blanca dividida en cinco secciones con notas adhesivas adjuntas a cada sección. La primera sección se llama "Artículos PB". Se trata de los artículos del Product que se eligen en este sprint específico. De nuevo, esto puede ser cualquier cosa, desde historias de usuarios, hasta bugs. Por lo general, las historias de usuarios o los bugs se agrupan para encargarse de ellos en un sprint. Sin embargo, a veces esto no es posible debido a un bug urgente que debe ser arreglado lo antes posible. Por lo tanto, acabará con unas cuantas historias de usuario y un bug a arreglar en la primera sección de "Artículos PB".

Después, apunte cada tarea en una Nota Adhesiva y colóquela en la pizarra de Scrum. La segunda sección, "por hacer" indica las tareas que aún no se han completado. Aquí es donde comienzan todas las tareas. Cuando alguien del Equipo de Desarrollo asume una tarea, pasa la nota a la tercera sección, "haciendo". Esta sección contiene todas las notas de las tareas en las que la gente todavía está trabajando. Después, a la cuarta sección, "hecho", se colocan todas las tareas que están terminadas. Por ejemplo, si todas las tareas relacionadas con una historia de usuario específica han sido terminadas, entonces también ponemos esa historia de usuario en esta sección. Durante el sprint, pueden surgir algunos impedimentos. Por lo tanto, la quinta sección está designada para tratar los obstáculos que el equipo pueda encontrar. De esta manera, el Scrum Master puede ver rápidamente los obstáculos que impiden que el equipo avance y encontrar una solución, para que el equipo pueda continuar con las tareas de ese ítem del backlog en particular.

Es una pena que, en la práctica, veamos que muchos impedimentos no son abordados. El Scrum Master debe traerlos y deshacerse de ellos. Esto es especialmente cierto si los mismos obstáculos aparecen durante varios días. Aunque sea el Scrum Master quien resuelva los obstáculos, el equipo debe aclararlos, porque están trabajando en las tareas en las que aparecen los obstáculos. Para dar al equipo una mejor perspectiva de las tareas y el tiempo que toman, se hace un gráfico burndown. El gráfico burndown proporciona la información visual necesaria para gestionar el proyecto o el Sprint del Scrum diariamente. El gráfico muestra la cantidad de trabajo restante que queda para el proyecto total o el sprint actual. Este progreso se aclara con la ayuda de dos líneas:

- Línea 1: Trabajo restante.
- Línea 2: Situación ideal.

La suma de todos los puntos del Product Backlog es la cantidad total de "trabajo". En otras palabras: la totalidad del "tamaño" estimado de su proyecto. El progreso del proyecto se hace evidente comparando continuamente el número de puntos de historia entregados con el tiempo transcurrido, marcando esto en el gráfico burndown. La mayoría de las veces, esto se hace para cubrir el número de semanas que tiene un sprint.

Revisión de Sprint y Retrospectiva de Sprint

Finalmente, echaremos un vistazo a la revisión del sprint y a la retrospectiva del sprint. La revisión del sprint es cuando el equipo de Scrum muestra el trabajo hecho en el sprint a las partes interesadas, para recoger sus comentarios. Esta reunión también se conoce como "la demostración", pero la revisión del sprint no es solo eso. Principalmente, se trata del feedback y de lo que se hace con él. La revisión de sprint toma un máximo de dos horas para sprints de dos semanas. La revisión de sprint es una reunión en la que se cultiva la comprensión mutua, porque nunca se puede describir exactamente lo que se necesita en un producto con mucha antelación. Además, la mayoría de los deseos cambian durante el desarrollo del producto, y tradicionalmente se requieren más características de las que se pensaron inicialmente. Por lo tanto, es importante obtener la mayor cantidad de información posible para cada sprint.

Es costoso hacer algo y solo escuchar sobre los cambios necesarios al final del proceso. En Scrum, se hace de manera diferente, porque todos sabemos que el cliente cambia de opinión constantemente. Scrum da mucha libertad, pero esto solo funciona con mucha disciplina, trabajo duro y comunicación.

En esta reunión, el equipo hace una demostración del trabajo realizado. A menudo se trata de una demostración de la aplicación, pero también pueden ser otras cosas. Si no se hace el incremento del producto, hacer una demostración no es algo muy inteligente, pero es importante mencionar por qué no se han completado algunas cosas. Por ejemplo, si la aplicación no tiene todavía una interfaz de usuario, el equipo puede mostrar también los resultados de las pruebas y la documentación. Un equipo de Scrum de estrellas puede hacer una demostración en cualquier momento del sprint. Siempre trate de meterse bajo la piel del interesado y trate de hacer la demostración lo más interactiva posible. No muestre resultados que no se ajusten a la definición del equipo de hecho. Usted quiere atraer a las partes interesadas para impulsar al propietario del producto a hacer una demostración al final del sprint. Si todo es correcto, puede recibir preguntas como: "¿Por qué no ponemos esto en producción?". Sería doloroso admitir que el producto no está listo porque la definición de hecho contiene un error, como algo que no se puede lograr en este sprint determinado.

La retrospectiva del sprint trata de que el equipo de Scrum inspeccione, se adapte y mire hacia atrás al sprint. Aquí hablamos de los aspectos positivos y negativos. ¿Qué ítems o tareas salieron bien? ¿Qué ítems o tareas no salieron bien? ¿Qué podemos hacer mejor en los próximos sprints? Este es el evento en el que el equipo de Scrum debe aprender múltiples lecciones. Las cuales pueden ser anotadas en un plan para mejorar después de cada sprint. Esta mejora continua es lo que diferencia a Scrum de otras metodologías. Un buen sprint retrospectivo se levanta o se cae con su atmósfera. Idealmente, debería tener una atmósfera en la que los miembros del equipo se sientan cómodos y que estén seguros para dar y recibir críticas constructivas y discutir los errores. Si el equipo no puede hacer eso, se convierte en un desafío para encontrar mejoras, y las observaciones siguen siendo superficiales. Por eso es especialmente visible en una retrospectiva de un sprint si un Scrum Master es también el gerente—o se comporta en consecuencia. Un equipo que se siente juzgado por el Scrum Master, ya sea literalmente o no, es menos probable que se exprese.

Se pueden nombrar muchos elementos para crear un ambiente ganador, como hacer evidente que la reunión es para la mejora de todo el equipo de desarrollo. Es una excelente oportunidad para quedarse quieto y mirar hacia atrás en el sprint, para llegar a algunas mejoras que valen la pena. Normalmente, el Scrum Master facilita esta reunión. Es precisamente la forma en que el Scrum se desafía a sí mismo para ser mejor continuamente, y es por eso que esta es a menudo una de las reuniones más importantes para el Scrum Master. No solo para su facilitación, sino también para desafiar al equipo a seguir mejorando no solo como profesionales, sino también como personas. Además, el Propietario del Producto podría unirse a esta reunión también. Si el equipo de desarrollo no cree que esto sea lo correcto, la retrospectiva puede dividirse en dos partes: una con el Propietario del Producto y otra sin él.

Después de la reunión, el plan de lanzamiento puede ser revisado y actualizado en base a los datos empíricos, como la retroalimentación obtenida de las partes interesadas. Cuando la retrospectiva del sprint termina, se repite todo el proceso comenzando desde el principio, es decir, con el Product Backlog y las sesiones de planificación del sprint. ¡En el próximo capítulo, profundizaremos en cómo se unen todas estas cosas!

Capítulo 7: Detallando un Proyecto Scrum

En los capítulos anteriores, aprendimos más sobre Scrum y sus roles, artefactos, ceremonias y conceptos más críticos. ¿Pero cómo se implementan todos estos aspectos en su organización? ¿Cómo es Scrum en la práctica? Estas y muchas más preguntas se abordarán en este capítulo. Le daré ideas sobre cómo puede reunir al equipo de Scrum, crear su Product Backlog, historias de usuarios, priorizar ítems, estimaciones, plan de lanzamiento y cómo todo esto está apoyado por el "Sprint Zero" y una visión de producto.

Sprint Zero y Visión del Producto

Cuando el equipo quiere comenzar el viaje de su proyecto, normalmente, hay mucho que "arreglar" antes de que el equipo esté listo para empezar. Solo piense en elaborar su visión del producto, estableciendo el backlog inicial del producto, y llenando y priorizando el backlog con tareas para al menos dos sprints. Tomamos dos sprints porque esto mantiene el Product Backlog lo suficientemente conciso, pero también deja espacio para tomar tareas adicionales cuando hay espacio para ello. Aunque quizás usted desee comenzar de inmediato, debe ocuparse de estas cosas primero. Un modo de "empezar" el proyecto de inmediato y aun así preparar lo que se necesita, le presentamos el Sprint Zero. Este es el sprint en el que preparamos todo, ordenamos las cosas y preparamos al equipo para volar. Por lo tanto, el Sprint Zero también es genial para elaborar su plan de lanzamiento inicial. Y no se preocupe por no tener suficiente evidencia empírica para empezar a elaborar este plan o el backlog. Solo asegúrese de que todo esté en su lugar y entienda que todos los artefactos son dinámicos. Además, este es el sprint para crear un ambiente para el éxito. Además de hacer que los miembros de su equipo se centren en el objetivo del sprint, tener un entorno que favorezca la integración continua será útil.

Por ejemplo, si una empresa de software iniciara el Sprint Zero, crearía o establecería un lugar donde se aclaren las reglas de codificación; donde los programadores deban escribir el código; donde se pruebe el código y donde pueda ser desplegado. El hecho de contar con un entorno de este tipo permite procesos rápidos y sin problemas durante todo el sprint. Con cada sprint, nuestro objetivo es desplegar algo útil lo antes posible. No me malinterpreten; este "algo" no tiene que ser inusual o perfecto, listo para que un cliente lo examine. No, en lo absoluto. Pero debería ser algo con lo que se pueda avanzar y que complemente otros incrementos de producto más adelante. Realizar un "Sprint Zero" no es imprescindible para su proyecto Scrum, pero puede ayudarle a preparar las cosas antes de que usted y su equipo se pongan manos a la obra para crear el producto. Asegúrese de establecer un plazo claro, que para un sprint suele ser de dos a cuatro semanas. Después de este tiempo, siga adelante. No se quede atascado en esta fase.

La realización de la visión del producto le dará una perspectiva del producto, especialmente de lo que es y qué valor aporta a quién. Por lo general, usted está construyendo un producto para un público objetivo. Y frecuentemente, usted no es parte de este público objetivo. Por lo tanto, no se limite a "pensar" en lo que le puede gustar al cliente, pregúnteles a ellos en su lugar. El equipo tiene que tener claro para quién es el producto, quién es el público objetivo, y qué entregar en base a los datos recolectados del público objetivo. Para ilustrar esto con más detalle, digamos que está dirigiendo un proyecto para una empresa de seguridad doméstica. La empresa quiere desarrollar un nuevo sistema de seguridad fácil de utilizar por adultos mayores.

Antes de realizar todo el proyecto, algunos miembros del departamento de seguridad deberían haber hablado con el público objetivo y haber recibido opiniones, comentarios y observaciones solicitadas. Estos pueden ser discutidos con el equipo Scrum antes de crear la visión del producto. Recuerde, este no es el momento de entrar en varios detalles. La visión del producto también es dinámica, pero todos los miembros del equipo deben conocer al menos el público objetivo y el propósito de hacer el proyecto. A continuación, enumeraré algunas cualidades para crear una visión de producto increíble:

Hágalo amplio e inspirador. Es imposible ser específico en las fases iniciales de cualquier Proyecto. Esto es lo que hace que el método en cascada sea tan desordenado. La gente trata de predecir cómo puede desarrollarse todo en el Proyecto. Esto es simplemente imposible. Siempre hay múltiples variables que cambian. Así que, haga que la visión del producto sea amplia pero inspiradora, para que la gente tenga una idea general de lo que están tratando de lograr y por qué. Si hace el "por qué" muy claro y robusto, usted ganará.

Despejado y estable. Aunque emplear varias palabras de moda parece ser una tendencia hoy en día, no se engañe pensando que este debería ser el caso para la visión del producto. Evite el lenguaje complicado, innecesariamente largo y tedioso. En su lugar, sea diferente, y hágalo claro y fácil de consumir para todos los miembros del equipo, ya sea que tengan experiencia o estén empezando en su puesto. Además, la visión específica no debe cambiarse con demasiada frecuencia, en caso de que lo haga. Es mejor mantenerla estable para evitar confusión entre los miembros del equipo.

Corto y sencillo. En el método en cascada, observamos que los profesionales con altos salario hacen documentos de incontables páginas. ¿Y cuál cree que es el problema con todo esto? Bueno, déjeme decirle; el mayor problema es que nadie lee todos estos documentos. Son demasiado largos, complicados y están escondidos. Normalmente, después de crear estos documentos, terminan en algún lugar de un cajón acumulando polvo. Por lo tanto, mantenga la visión del producto tan corta como sea posible. ¿Por qué no lo hace en una sola página que pueda imprimir para que otros la vean?

Para mantener estas cualidades frescas y la visión del producto en mente, puede discutirlo durante las revisiones del sprint. Además, me gustaría compartir un ejemplo de cómo puede surgir una visión de producto inspiradora. Hubo un CEO de una compañía de software y hardware médico que ayudó a crear la visión del producto en proyectos. Antes de elaborar cualquier plan, comenzaba con un poderoso discurso sobre su hijo, que estuvo muy enfermo al nacer. Debido a la enfermedad de su hijo, el CEO estaba con frecuencia presente en el hospital, donde se sorprendió al encontrar que muchos procesos eran muy ineficientes, ineficaces y lentos. Esto lo impulsó a construir su compañía para hacer que los procesos en los hospitales fueran más rápidos, más efectivos y eficientes para ayudar a más personas en menos tiempo. Esto hace que sea un mensaje muy inspirador con el que casi cualquier ser humano razonable puede relacionarse. Además, la visión del producto fue colocada en una sola página y pegada en una pared cerca del equipo Scrum. Así, siempre quedó claro a quiénes servían el equipo y cómo los servían.

El Product Backlog Inicial

Como se ha explicado anteriormente, el Product Backlog contiene todos los requisitos del producto. Básicamente, incluye todos los elementos de los que usted y su equipo deben ocuparse para entregar el producto y crear valor para el cliente y la organización. Su naturaleza dinámica se presta a los siempre cambiantes mercados, tecnología y deseos del cliente. Los ítems más valiosos están siempre en la parte superior. Estos deben ser tratados antes que cualquier otra cosa. El Propietario del Producto ha colocado estos ítems en la parte superior por una razón, así que póngase a trabajar en ellos primero y enfréntelos lo más rápida y eficientemente posible. El Product Backlog está priorizado por valor, y es más detallado en la parte superior y menos en la inferior. Eventualmente, obtendrá más detalles cuando los ítems se muevan a la parte superior. Aunque el Propietario del Producto gestiona y prioriza todos los elementos del backlog, es el Equipo de Desarrollo el que estima las tareas, porque son ellos los que hacen el trabajo.

Por lo general, su Product Backlog contiene requisitos de usuario, nuevas características o mejoras y sus descripciones, y requisitos técnicos cuando las cosas en la infraestructura necesitan cambiar. Estos tipos de requisitos técnicos no están directamente relacionados con el cliente. Asegúrese de limitarlos lo más posible. Esto no significa que usted deba pasarlos por alto, en absoluto. Téngalos en cuenta, pero nunca piense que son la razón principal por la que se necesita hacer el trabajo. Manténgase siempre centrado en la visión del producto. De lo contrario, el equipo terminara olvidando el objetivo final debido al trabajo diario que están realizando. Siempre busque tiempo para reflexionar y mirar brevemente el panorama general. Lo mismo ocurre con los errores en el sistema actual que bloquean el desarrollo del producto incremental. Es necesario limitar los errores para mantenerse centrado en lo que el usuario o cliente ve como valor. Ya he dicho esto muchas veces, pero es fundamental reiterar: asegúrese de que el Product Backlog es la única fuente de todo lo que hay que hacer por el producto. Incluye todo, desde los requisitos técnicos y de usuario, hasta los diversos errores que deben ser corregidos. Por lo tanto, no hay espacio para documentos adicionales o lugares para anotar los problemas. Esto hace que todo el proceso sea significativamente más transparente. La transparencia es importante para cualquier proyecto que valga la pena.

Después de completar el Product Backlog, el siguiente paso es priorizar y estimar todos los ítems del backlog. El elemento clave en la priorización de cualquier cosa es asegurarse de que el ítem con el mayor valor está en la parte superior. En este contexto, con el valor, nos referimos al valor comercial, es decir, al aspecto monetario de las cosas: el aumento de las ganancias. Otro elemento crítico es agrupar las necesidades donde se considere oportuno. Por lo general, varios requisitos o historias de usuarios son demasiado grandes para abordarlos en un solo sprint. Por lo tanto, es mejor dividirlos. Con menos frecuencia, puede que encuentre necesidades similares o más pequeñas. Compruebe si se pueden agrupar y si se pueden abordar en un sprint. Por último, le aconsejo firmemente que asigne una métrica de valor comercial a cada historia. Siga estos pasos cuidadosamente:

Anote todas sus historias de usuario en notas adhesivas.

Coloque las notas adhesivas en una pared o pizarra. Péguelas sin pensar en ningún orden.

Ahora, tiene diez puntos de "valor" para usar en cada historia de usuario. ¿Qué historia de usuario obtendrá más puntos? Cuando usted pueda responder a esta pregunta, coloque esa historia de usuario en la parte superior, seguida de la siguiente historia de usuario con la puntación más alta.

Si usted trabaja en una organización más grande o con una tonelada de historias de usuarios, diez puntos de "valor" pueden no ser suficientes. Por lo tanto, podrá obtener un rango más amplio, como 500 puntos o incluso 1000 puntos.

El punto es que terminará con un Backlog claramente priorizado basado en el valor del negocio.

Abordar el artículo más valioso del backlog podría no ser algo que se necesite en las etapas iniciales del software. En las metodologías de proyecto tradicionales, no hay otra opción que desarrollar todos los elementos de la fase inicial antes de seguir adelante. Afortunadamente, con Scrum, se puede desarrollar primero el incremento del producto de mayor valor, ya sea algo perteneciente a la fase inicial de cualquier otra fase.

Historias de Usuario

Las historias de usuarios son necesarias para reunir los requisitos de los usuarios. Esto ayuda a formar los requisitos. Una historia de usuario es corta y simple; un requisito moderado. No lo haga demasiado detallado. Asegúrese de que estén hechas desde la perspectiva del usuario. Por lo general, los desarrolladores no son los que interactúan con el producto, por lo que hay que asegurarse de que los resultados o requisitos para los usuarios se formulen correctamente. Las historias de usuarios facilitan la discusión del producto, así que concéntrese en esto. Existe un formato general para una historia de usuario, que consiste en: Como un <insertar rol> quiero una <característica> para que <beneficio>. Completémoslo: "Como comprador de ropa en línea quiero ser capaz de buscar en el catálogo del sitio web para poder encontrar ropa para comprar". En este ejemplo, usamos el papel de "comprador de ropa en línea", sin embargo, la mayoría de los sitios web son usados por varias personas. Así que, para este ejemplo, también podríamos tener un usuario que es un "comprador de ropa con descuento". Basándose en el rol, las variables pueden ser mejoradas e innovadas para que se ajusten a los deseos específicos del usuario. Para hacerlo correctamente, se debe crear un personaje para cada uno de los diferentes tipos de usuarios que interactúan con el sitio web. Un personaje es una representación ficticia de un usuario específico, como "Bob El Comprador Con

Descuento". Después, puede llenar su personaje escribiendo sobre su edad, género, motivaciones, objetivos, personalidad y más características que parezcan necesarias.

Frecuentemente, las historias de usuarios se escriben en tarjetas. Se pueden poner las historias de usuarios en la pared o en la pizarra, pero para las organizaciones más grandes, también deberían estar disponibles digitalmente. En relación con esto están las "condiciones de satisfacción", que tienen las siguientes cualidades: son necesarias para la aceptación, representan pruebas y son específicas. Los detalles pueden tratarse más adelante, pero primero hay que establecer los detalles o fundamentos. No cambia la importancia del esfuerzo cuando algo puede ser abordado en un momento posterior, como el color de un botón.

Por ejemplo, para la historia de usuario mencionada anteriormente sobre el "comprador de ropa en línea" que busca en el sitio web, podemos nombrar varias condiciones de satisfacción. Piense en cosas como: coincidencia con el título de la tarea; categoría; descripción; y palabras clave. Otro requisito podría ser las técnicas de búsqueda avanzada como las citas. Además, algo como "Los resultados deben aparecer en menos de tres segundos", es un ejemplo de una condición que verá en la práctica.

Las condiciones pueden ser colocadas en el reverso de las historias de usuarios como pasos de cómo hacer una demo de la historia de usuario o incremento del producto. Por ejemplo: "Abrir la página de búsqueda, introducir varias palabras clave, iniciar la búsqueda", etc. Hay cualidades de las buenas historias de usuarios que se encuentran en el acrónimo INVEST:

- **Independiente.** Cuando las organizaciones comienzan con la implementación de Scrum, tienden a crear historias de usuarios que dependen de otras historias de usuarios. Tenga cuidado de no cometer este error y compruebe que la historia de usuario pueda cumplirse sin necesidad de otra historia de usuario.

o **Negociable.** Tratar con historias de usuarios nos ayuda a lidiar con las discusiones. Al discutir las tareas de las historias de usuarios, podemos negociar la forma de avanzar en la historia de usuario, si falta algo o si las tareas son redundantes.

o **Valioso.** Cada historia de usuario debe contener algo de valor para el cliente, la organización o para ambos. Si no es así, la historia de usuario está mal y necesita ser corregida. Si la historia de usuario no contiene un beneficio bien definido, es difícil priorizarla, en comparación con otras historias.

o **Estimación.** El equipo proporciona una estimación de la cantidad de trabajo y tiempo necesario por cada historia de usuario.

o **Pequeño.** Asegúrese de que se puedan completar varias historias en un solo sprint. Esto se hace manteniendo las historias de usuarios pequeñas.

o **Testeable.** Las condiciones de satisfacción no solo se documentan y luego se guardan. No, también se prueban. Cuando el equipo de Scrum ha hecho un excelente trabajo formulando las condiciones de satisfacción relacionadas con una historia de usuario, es fácil para los testers comprobar que las características resultantes funcionan exactamente como el usuario necesita.

A veces puede ser difícil manejar las ideas en una organización. Las ideas parecen surgir de todas las ramas y de todo tipo de profesionales. Por lo general, estas ideas pueden ser utilizadas para formular historias de usuarios, pero una idea por sí sola no es suficiente. Con frecuencia, las ideas pueden combinarse, añadirse o reducirse de manera que sean útiles para el proyecto. Lidiar con todas estas ideas puede ser un obstáculo, pero Scrum lo hace más simple. Scrum nos enseña la jerarquía para categorizarlas mejor. La jerarquía es:

- **Tema.** En la parte superior de la jerarquía encontraremos el tema. El tema es el asunto en el que nos centramos durante todo el lanzamiento de un producto y a veces incluso en varios lanzamientos. Un tema es grande y nunca podría ser puesto en múltiples sprints, y mucho menos en uno solo. Por lo tanto, necesita ser refinado y reducido en tamaño.

- **Épica.** Este es el nombre de las historias de usuarios que no encajan en un solo sprint. Las épicas de usuarios podrían lograrse en varios sprints, pero necesitan ser desglosadas para poder terminarlas en partes, un paso (o sprint) a la vez.

- **Historia de usuario.** Finalmente, llegamos a algo que se puede terminar en un solo sprint, la historia de usuario. Generalmente, en mi experiencia, siempre resolvimos múltiples historias de usuario en un sprint, al menos dos. Si esto parece imposible para su equipo, asegúrense de que haya una forma de dividir sus historias de usuario aún más. La mayoría de las veces, será posible hacerlo.

Por lo tanto, antes de que se llene el Product Backlog, asegúrese de que no haya manera de reducir el tamaño de la historia de usuario. ¡Recuerde que es mejor tener una historia de usuario más pequeña, fácilmente alcanzable en un sprint, que una historia de usuario que podría fácilmente tomar dos, tres o incluso cuatro sprints! Durante los sprints, recuerde siempre que el desarrollo se hace de forma iterativa y que se va lanzando el trabajo poco a poco. Sprint tras sprint, nuestro objetivo es desarrollar o resolver las partes de un gran rompecabezas. El proceso de desarrollo de las partes del rompecabezas es iterativo. Cuando una parte más sustancial del rompecabezas se completa, como la sección superior completa, lanzamos esto. Después de muchos sprints, lanzamos la sección media y la inferior. Este proceso es incremental y se realiza hasta que el rompecabezas se haya completado.

Diseño del Plan de Lanzamiento

Ahora que el Product Backlog está priorizado y estimado y que el equipo Scrum está listo para empezar, estamos preparados para diseñar el plan de lanzamiento. Al diseñar el plan de lanzamiento, piense en el término "velocidad". La velocidad dentro de Scrum es una medida de la cantidad de trabajo que el equipo Scrum puede terminar en cada sprint. Dicho de otra manera, se trata de la respuesta a la pregunta: "¿Cuántos de estos ítems del backlog podemos hacer en un sprint?". Mire la imagen de abajo.

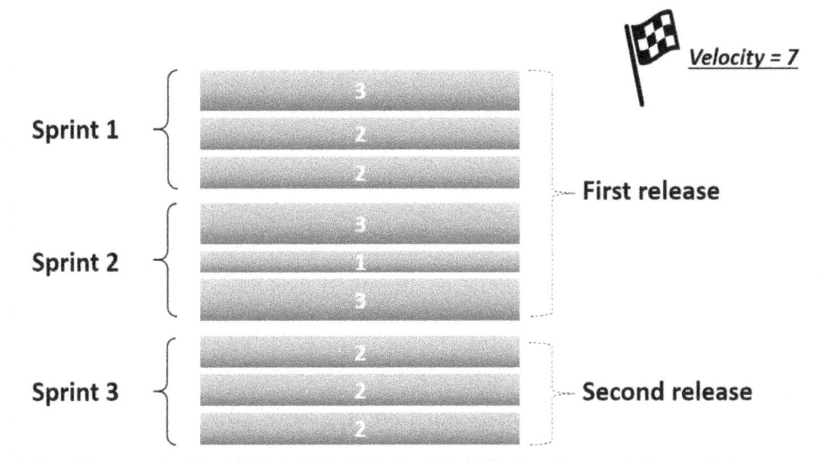

No se preocupe si la imagen parece abrumadora. No es tan complicado como puede parecer. Déjeme explicarle. En esta imagen, el equipo de Scrum está usando una velocidad de siete. Esto significa que no se pueden tomar más de siete puntos de historia por cada sprint. La velocidad de siete se basa en la experiencia previa con el equipo Scrum. Si su equipo es completamente nuevo en el Scrum, comience con una velocidad menor de cinco, para tener una idea de cómo funciona el método. En este ejemplo, la velocidad es de siete, y como podrá observar, en el sprint uno la cantidad total de objetos que tomamos es de siete (3+2+2 = 7). Lo mismo ocurre con el sprint dos (3 + 1 + 3 = 7). Sin embargo, en el sprint tres vemos algo diferente, el número es seis (2 + 2 + 2 = 6). ¿Por qué? Porque si tomamos el "uno" del sprint dos y lo cambiamos por el "dos" del sprint tres, terminaremos con "ocho", superando así la velocidad. Así que, planifique en base a las experiencias de proyectos anteriores. Después de que los sprints se dividan, el equipo puede averiguar cuándo se puede lanzar algo. En este ejemplo, se marcan dos lanzamientos: uno al final del sprint dos y otro al final del sprint tres. Así, el equipo y los interesados saben cuándo pueden esperar lanzar un incremento de producto. Frecuentemente, el equipo de Scrum tiene un plazo estricto antes de un lanzamiento. Este plazo puede establecerse después del primer sprint, por ejemplo. Al discutir el progreso actual, las partes interesadas pueden señalar si ciertos puntos de la historia deben estar en el próximo lanzamiento. Entonces el equipo puede adaptar y mover estos puntos de historia a la parte superior para ocuparse de ellos primero. Pero tenga cuidado, asegúrese de que no se exceda la velocidad.

Tal vez se pregunte cómo calcular la velocidad de su equipo cuando acaba de empezar con el Scrum. Bueno, aunque no es ideal calcular la velocidad sin datos empíricos, puede ser útil calcular la velocidad inicial si no hay datos empíricos disponibles. Aquí está la fórmula para calcular la velocidad:

- Tome el número de personas en su equipo de Scrum; digamos que tenemos **seis** profesionales (P).
- Después, cuente el número de sprints y semanas de cada sprint, digamos que tenemos tres sprints de **2** semanas cada uno (S).
- Ahora cuente los días que el equipo está disponible para trabajar en estos sprints, para este ejemplo, **39** (D).
- Tomemos un factor de ¼.
- Complete la fórmula $P^2 + S^2 + D^2 \div \frac{1}{4} = V^2$.

¡Espero que se haya dado cuenta de que esto es absolutamente absurdo y no es posible en lo absoluto! Aunque mucha gente piensa que la determinación de estas métricas se hace rápidamente completando una fórmula, están lejos de ser correctas. Para un equipo de Scrum principiante, hay una inmensa cantidad de variables que hay que tener en cuenta. Ninguna fórmula en la tierra puede arreglar eso para usted, excepto para intentar, fallar, corregir y hacerlo de nuevo. Así que, en lugar de rellenar esta tonta fórmula, discuta con su recién formado equipo de Scrum sobre el backlog. Dígale a cada miembro del equipo lo que piensa sobre las tareas pendientes y cuánto tiempo cree que tardarán. Luego deje que todos los miembros del equipo discutan las opciones y permítales identificar cuántas tareas pendientes pueden hacer, por ejemplo: las tres primeras tareas pendientes. Luego sume el número de puntos de historia de estos tres ítems, digamos que la cantidad es nueve. Luego tome esa cantidad como su velocidad inicial para el primer sprint. Hay una alta probabilidad de que siga siendo errónea. Pero bueno, ahora al menos tenemos algunos datos empíricos de los que podemos aprender y hacerlo mejor en el próximo sprint. ¿Verdad? Durante el trayecto del proyecto Scrum, se recopilarán más datos. Después de un par de sprints, podrá calcular rápidamente la velocidad para los mejores y los peores escenarios. Cuando una tarea es muy urgente y necesita hacerse, usted puede mirar la velocidad para el peor de los casos (el peor que el equipo haya hecho), para que el equipo esté seguro de que podrá hacerlo.

Capítulo 8: Entendiendo las Métricas de Scrum

Las métricas de Scrum son instrumentos para medir el proceso de Scrum. ¿Pero qué se puede medir con precisión? Bueno, se puede medir mucho. Piense en cosas como el proceso de desarrollo, la calidad del trabajo, la productividad, la previsibilidad y los productos que se desarrollan. Las métricas de Scrum se centran en el valor que se entrega al cliente. Además de las métricas Scrum, también hay otras métricas ágiles que usted debe conocer, principalmente:

- Métrica de Kanban: Se centra en el flujo de trabajo, organizando y priorizando el trabajo para completarlo. Una métrica ampliamente utilizada es el flujo acumulativo.
- Métrica Lean: se centra en la métrica de valoración de toda la organización al cliente y en eliminar el "desperdicio". Las métricas más populares son el tiempo de entrega y el tiempo de ciclo.

Pero las métricas que abordamos en este capítulo son las métricas Scrum, que se centran en la previsibilidad de un producto de trabajo (o incremento de producto) para los clientes. Las métricas comúnmente utilizadas son la velocidad del equipo y el gráfico burndown. Deberíamos preocuparnos por estas métricas, porque al medir se obtienen valiosos datos sobre múltiples Sprints, versiones, cuándo se descubren errores y más.

Hay varios elementos que hacen que las métricas sean útiles. Sin estos elementos es difícil obtener beneficios de ellos. Considere los siguientes puntos:

- **Asegúrese de usar métricas que resulten en conversaciones significativas.** Por ejemplo, después de elaborar el gráfico burndown, los miembros del equipo pueden reunirse y discutir la trayectoria actual de vez en cuando. De esta manera, pueden determinar si se ha hecho un progreso significativo.

- **El beneficio de las métricas es que hace que todo el proceso sea más empírico.** Scrum depende en gran medido de los datos empíricos. Por lo tanto, si usted tiene métricas que respalden la recolección de estos datos, usted también respalda todo el proceso de Scrum. Piense en datos como la velocidad a la que se puede realizar una prueba en particular.

- **Compruebe si las métricas pueden ser combinadas.** A veces es útil combinar varias métricas para obtener una imagen más clara del progreso del Equipo de Desarrollo. Píense en métricas como la productividad (por ejemplo, el número de tareas completadas en un tiempo específico) y la velocidad.

- **Asegúrese de que todo el equipo se informe sobre las métricas.** El Equipo de Desarrollo tiene voz en la selección de las métricas. El Scrum Master y el Propietario del Producto también tienen voz y voto. Pueden ofrecer indicadores clave de rendimiento (KPI) o métricas, como la velocidad.

- **¡No complique las cosas!** Cuando escoja las métricas, debe hacer que se entiendan fácilmente. Además, calcularlas no debería implicar ninguna matemática avanzada.

Gráficos Burndown y Burn-up

Ahora quizás se pregunte: "¿Cómo puedo hacer un gráfico burndown?". Para empezar a medir el progreso del equipo. Bueno, eso es bastante simple, siguiendo estos pasos:

1. Dibuje un eje y un eje x en un tablero, pizarra o usando cualquier software.
2. Trace los puntos de historia o "trabajo" en el eje y. Esta es la suma de las tareas estimadas en, por ejemplo, días.
3. Trace el tiempo en el eje X e incluya la duración total de su sprint o proyecto. Esta es la línea de tiempo de la iteración, normalmente en días.
4. Durante su proyecto, mida desde t = 0 a intervalos fijos cuánto "trabajo" se ha entregado. En un sprint de quince días, puede medirlo en intervalos de tres días, por ejemplo.
5. Lo que resta por hacer es algo de matemática básica, es decir, calcular el: Total - Entregado. Nada muy avanzado para la mayoría de la gente, eso espero.
6. Ahora es el momento de trazar el resultado de este cálculo en el gráfico. Los puntos marcados para "Tareas Reales Restantes" deben resultar en una línea descendente. La línea muestra por cada punto cuánto "trabajo" queda del total con el que usted comenzó.

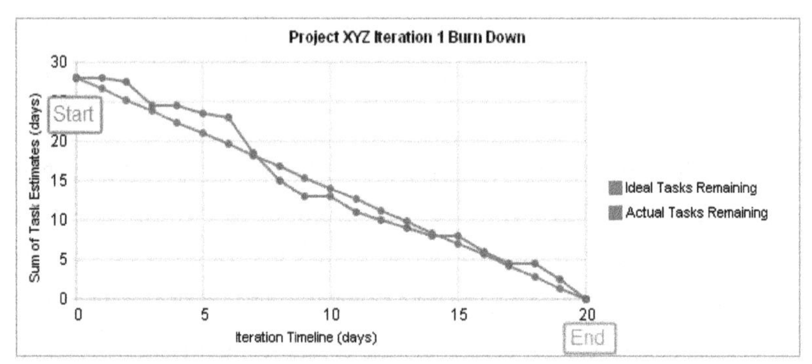

Este es un archivo de Wikimedia Commons. Commons es un repositorio de archivos multimedia con licencia libre. Todo el crédito pertenece a los autores/creadores. La licencia está disponible aquí https://en.m.wikipedia.org/wiki/File:Burn_down_chart.png

La línea descendente de "Tareas Reales Restantes" sigue los puntos de medición que usted mismo trazó en el gráfico. La línea "ideal" en un burndown se extiende en diagonal desde la esquina superior izquierda hasta la esquina inferior derecha. La "línea ideal" indica con precisión el número promedio de puntos que deben ser "entregados" por día para alcanzar el proyecto o la meta de sprint en el tiempo establecido. Cuando lea el gráfico, utilice la "línea ideal" de la siguiente manera:

- La distancia entre la línea real (por debajo o por encima) y la línea ideal indica cuánto se adelanta o atrasa el proyecto en la planificación.
- Si la línea real está por encima de la línea ideal, el Proyecto está atrasado.
- Si la línea real está por debajo de la línea ideal, el Proyecto está adelantado en la planificación.

Además de los gráficos burndown, usted y su equipo también pueden decidir trabajar con gráficos de "burn-up". La principal diferencia entre los dos es que en vez de registrar cuántas tareas quedan, registramos cuántas tareas o cuánto "trabajo" hemos terminado. Al hacerlo, la curva sube en lugar de bajar. Un gráfico "burn-up" es útil cuando el alcance disminuye o cuando el equipo termina algún trabajo y poco después descubre que hay más trabajo por hacer para un nuevo cliente, por ejemplo. Un gráfico burn-up hace que estos eventos sean más evidentes porque el progreso se sigue de forma independiente basándose en cómo cambia el alcance del trabajo o cómo cambia la suma de las tareas estimadas—o el "trabajo"—a realizar. En un gráfico burndown, no hay espacio para cambiar el eje x. Con un gráfico burn-up, esto es posible, porque la "línea deseada" de las tareas ideales que quedan es una línea horizontal que puede cambiar de sitio. Siga estos pasos para hacer un gráfico burn-up:

1. Trace los puntos de la historia o "trabajo" en el eje Y.
2. Trace el tiempo en el eje x e incluya la duración total de su sprint o proyecto.

3. Durante su proyecto, se traza la cantidad total de puntos de historia o "trabajo" en el gráfico de t = 0 a intervalos fijos.

4. En los mismos intervalos, se mide la cantidad de "trabajo" que se ha hecho, y también se traza en el gráfico.

5. Esto resulta en dos líneas: la línea relativamente horizontal de "cantidad total de trabajo" y la línea ascendente de "trabajo terminado". Un gráfico burn-up muestra claramente el "trabajo" completado en relación con la cantidad total de "trabajo" en su proyecto. El proyecto está completo cuando las líneas se cruzan.

Así es como se hace un gráfico burn-up. Usted puede usar cualquier método que desee para hacerlo, como dibujarlo en una pizarra o crear uno en Excel. Ahora que tenemos un gráfico burn-up, debemos usarlo y leerlo correctamente. El equipo de desarrollo debe comparar la cantidad de trabajo que se realiza con la cantidad total de trabajo del proyecto cada día laborable. La distancia entre las dos líneas es, por lo tanto, la cantidad de trabajo que queda. Como se ha mencionado, el proyecto se completa cuando las dos líneas se encuentran, es decir, se cruzan. La "línea ideal" indica con precisión el número medio de puntos, es decir, las tareas que deben entregarse cada día para alcanzar el proyecto o la meta del sprint en el tiempo estipulado. Cuando lea el gráfico, utilice la "línea ideal" de la siguiente manera:

- La distancia entre la línea de "trabajo terminado" (abajo o arriba) y la línea ideal indica cuánto se adelanta o se atrasa el proyecto en el calendario.
- Cuando la línea de "trabajo terminado" está por debajo de la línea ideal, el Proyecto está atrasado.
- Cuando la línea de "trabajo terminado" está por encima de la línea ideal, el Proyecto está adelantado.

Además, la línea que indica la cantidad total de trabajo se hace evidente cuando el trabajo se ha añadido o eliminado del sprint. Si se agrega "trabajo" al proyecto o al sprint, la distancia entre las dos líneas se hace mayor. Por lo tanto, la influencia en la fecha de finalización prevista es clara. Para que esto quede claro, se dibuja una línea de tendencia que se basa en la cantidad media de puntos que se entregan por el equipo. La nueva fecha de finalización de su proyecto es donde esta línea de tendencia cruza la línea de trabajo total (incrementada). Principalmente si el equipo de desarrollo incluye miembros que son nuevos en Scrum, esto es importante. Además de experimentar con ambos métodos para ver qué encaja bien con el equipo, algunos proyectos exigen un enfoque particular. Hay proyectos que giran más en torno a una de estas dos preguntas:

1. ¿Quiere supervisar el progreso de su sprint en detalle y compartirlo con los clientes y las partes interesadas regularmente?
2. ¿Quiere hacer visible el progreso de la manera más simple para el equipo y los directamente involucrados?

Un gráfico burn-up muestra el trabajo terminado y el tamaño total del proyecto en una sola visión general. En contraste con el gráfico burndown que solo muestra el trabajo restante con una línea. Debido a que el tamaño total del proyecto con el gráfico burn-up es claro, se obtienen respuestas a preguntas como: ¿se ha agregado demasiado "trabajo" nuevo?

Esta información es útil para identificar y resolver problemas dentro del sprint, por ejemplo, un cliente que cambia constantemente el alcance, poniendo en riesgo el resultado final. Utilice la tabla burn-up por razones tales como:

- **Quiere mostrar actualizaciones regulares de cómo está progresando el sprint.** Si usted presenta regularmente el progreso del Proyecto a la misma audiencia, por ejemplo, en reuniones semanales de progreso para los clientes, utilice el gráfico burn-up. Esto hace que sea fácil ver el progreso, incluyendo el trabajo adicional y las consecuencias que conlleva.
- **Si el alcance tiene un carácter "dinámico".** Cuando se añade repentinamente "trabajo" al sprint, un gráfico burn-up es más valioso. En algunos proyectos, el cliente puede ser muy exigente y pedir una funcionalidad adicional. Además, algunas tareas pueden ser eliminadas si ya no son necesarias. Por lo general, esto último es causado por problemas inesperados con los costos, el presupuesto y

el tiempo. En un proyecto en el que los clientes añaden o quitan mucho trabajo durante el proyecto, un gráfico burndown no sería una representación completa del progreso.

- **Cuando el alcance se expande.** Cuando el alcance del Proyecto se expande gradualmente, a veces mucho más allá del marco original, es más útil un gráfico burn-up. Con un gráfico burndown, parecería que el equipo ha hecho pocos progresos, lo que no es necesariamente el caso, es decir, el alcance podría haberse ampliado. Por lo tanto, un burn-up hace que el panorama sea mucho más claro para el cliente. Esto hace que el problema sea discutible y permite un ajuste rápido cuando sea necesario.

¿Por qué debería usar un gráfico burndown en su lugar? Hay algunas razones:

- **Muy fácil de implementar.** Los gráficos burndown son fáciles de hacer y seguir. Tienen una línea obvia para mostrar cuando el proyecto o el sprint está terminado. Empezar con un gráfico burndown es particularmente aconsejable para equipos de desarrollo nuevos. ¿Por qué? Porque cada miembro del equipo entenderá el gráfico con poca o ninguna explicación. Por lo tanto, hacer un gráfico burndown para las presentaciones es deseable para los clientes o accionistas que no tengan formación técnica. Sin embargo, no olvide que el gráfico burndown deja por fuera información crucial. No cuenta toda la historia del sprint. Por lo tanto, para sprints más complejos, con cambios de alcance, esto no es muy útil.
- **El alcance tiene un carácter "estático".** Los gráficos burndown suelen emplearse en proyectos en los que la planificación no cambia en lo absoluto. Los proyectos o sprints con un alcance fijo no necesitan la información adicional de un gráfico burn-up. Esto haría el proyecto innecesariamente más complejo. Tal vez no sería más complejo, pero no sería útil en lo absoluto. Cuando las cosas son simples, manténgalas simples. Cualquier variable innecesaria que añada a su gráfico hace que el Proyecto sea exponencialmente más difícil.

- **Ayuda a mantener el ritmo.** El gráfico burndown puede mantener el impulse del equipo y puede motivarlos a seguir hasta el final del sprint. Cuando la gente empieza con Scrum, estas victorias rápidas crean confianza. Y la confianza es la cualidad que el equipo de desarrollo necesita para entregar incrementos de calidad en los productos. Cuando los miembros del equipo tienen más confianza, crean, proveen y traen más valor al cliente.

Capítulo 9: Cómo Destacar y Errores Comunes

Hay varias maneras de sobresalir como Scrum Master o Propietario del Producto. Ya se han abordado múltiples maneras, como ser transparente con los miembros de su equipo y estar abierto a sus opiniones y retroalimentación. En Scrum, siempre se esfuerza por hacer felices a los usuarios o clientes. Preferiblemente con algo tangible. Por lo tanto, cuando usted es nuevo en Scrum, no asuma un trabajo de desarrollo grande y complejo desde el principio. Para sobresalir, tome un proyecto de negocios en el que los usuarios no se preocupen por todas las complejidades del producto. Por ejemplo, si está creando una herramienta de marketing para el Departamento de Marketing, estarán menos interesados en la forma en que el código de programación se une y en lo bien que está documentado. Solo quieren una herramienta de trabajo, eso es todo. Además, empezar con un proyecto pequeño le dará más confianza. Asegure el éxito primero y escale después. Comience con un producto, un Propietario del Producto, un Scrum Master y un equipo de cinco o seis personas. No piense que puedes convertir toda la compañía en un día.

Entonces, un proyecto corto es bueno para empezar, pero por corto, no quiero decir muy corto. Un proyecto muy corto probablemente le dará muy poco tiempo para ver cómo funciona Scrum apropiadamente. Entonces el éxito del proyecto dependerá más de algunas "hazañas" de algunos miembros del equipo. Además, los proyectos pequeños no son suficientemente representativos. Si el proyecto es un éxito, entonces aún oirá: "Obtendríamos los mismos resultados con el método antiguo". Yo diría que un proyecto de unos dos o tres meses está bien para empezar a usar Scrum.

Un error común que notamos es que los nuevos equipos de Scrum toman proyectos que no son "reales". En otras palabras, un proyecto en el que no importa si las cosas van mal. Eso es más o menos lo peor que usted puede hacer. Un proyecto sin importancia no recibe atención, y por lo tanto no se concentra, no se involucra a los interesados y no hay reuniones que valgan la pena. Con un proyecto importante, es mucho más fácil motivar a la gente. Y no hay que tener miedo de que las cosas vayan mal: como miembro del equipo, ya posee habilidades y usted es capaz de lograr objetivos, sin importar el método que utilice. Siempre agregue elementos Scrum que lo hagan mejor, nunca se equivoque al pensar que Scrum es un objetivo en sí mismo. No lo es. En lugar de eso, piense en ello como una forma de trabajar más inteligentemente, no más duro. El lado de los negocios de su organización es sensible a esto.

Otro error que cometen muchos Scrum Masters y Propietarios del Producto es que no consiguen el apoyo de todas las capas de la organización. Si todos son nuevos en la escena del Scrum, es posible contratar a un Scrum Master experimentado para comenzar y asegurarse de que todos apoyen la iniciativa del Scrum. Es un experimento que vale la pena intentar. Asegúrese de que el Propietario del Producto y los miembros del equipo tengan una buena razón para que sea un éxito personal.

Además, no sea el que tiene miedo de fracasar. Nunca podrá destacar si usted es alérgico a los fracasos. En cambio, acepte el hecho de que fracasar es parte del proceso para obtener la maestría que desea. Luego tómese el tiempo para mejorar en el Scrum y respete las reglas del juego. Especialmente en una primera experiencia de Scrum, hay una tendencia a exagerar. Piense que cada equipo pasa por fases para volverse magnífico. Esto se relaciona con la comunicación y la transparencia. Asegúrese de hacer visibles todos los problemas. El Scrum en sí no va a resolver sus problemas, pero los hace accesibles y los pone "justo en su cara". Al obtener esta visibilidad, tendrá la mejor oportunidad de movilizar a la gente para resolver los impedimentos.

No cometa el error de pensar que el cambio ocurre de la noche a la mañana. Siempre demuestro algo de carácter y una fuerte personalidad cuando sea necesario. Es mejor pedir perdón después que pedir permiso por adelantado. ¿No hay un espacio para discutir con las partes interesadas? Bueno, ¿puede salir y discutirlo allí? ¿No hay usuarios o clientes que estén viendo la demostración? Encuéntrelos e invítelos a tomar un café, y muestre lo que se ha logrado. Cuando logren algo significativo durante la implementación de Scrum, ¡celébrenlo! Haga presentaciones, organice una cena o dé un pequeño regalo a los miembros del equipo y a las partes interesadas. Esto los animará y los ayudará en su crecimiento.

Finalmente, otro error común es olvidar completamente el uso de la tecnología para facilitar el proceso de Scrum. Hoy en día, existe un gran número de herramientas de Scrum que pueden prepararlo para el éxito. ¿Por qué no hacer uso de ellas para mantener los procesos más racionalizados? En el próximo capítulo, se abordarán diversas herramientas que pueden acelerar el resultado deseado de su proyecto.

Capítulo 10: Herramientas de Scrum para la Gestión del Flujo de Trabajo

En los últimos años, una enorme cantidad de herramientas de software han encontrado un lugar en el mercado de la tecnología emergente para facilitar el proceso de Scrum. Para un equipo que no está "co-ubicado" y/o no trabaja a tiempo completo con Scrum, los beneficios de una solución digital son muy claros. Las integraciones prácticas con otras plataformas digitales también añaden una funcionalidad y un valor añadido. Una pizarra de proyecto físico sigue funcionando mejor en términos de interacción, por ejemplo, durante las reuniones de trabajo. Y cuando se crea transparencia e información sobre el estado del proyecto, una pizarra llena de notas adhesivas de colores es difícil de superar.

Desde un punto de vista funcional, la gama de herramientas digitales Scrum puede subdividirse en: herramientas de colaboración y documentación, como los portales, en los que se puede almacenar y compartir el "conocimiento"; gestores de flujos de trabajo, que son útiles para gestionar los flujos de trabajo mediante el uso de tableros de proyectos digitales; y herramientas de mensajería, para permitir y agilizar la comunicación entre equipos. También es posible encontrar herramientas que son una combinación de estas categorías.

Algunas empresas de software se especializan en un aspecto, y otras combinan la funcionalidad. La ventaja de una solución integrada es que todo se relaciona "a la perfección"; una desventaja de una solución integrada es que a veces contiene un componente que no funciona bien en el esquema de las cosas. En este último caso, una combinación de herramientas digitales específicas de Scrum podría haber sido una mejor solución. Los principales proveedores de soluciones integradas compiten entre sí por la funcionalidad y el precio. La mayoría de los niveles y modelos de precio no están muy alejados. Las opciones digitales a menudo comienzan con una versión gratuita con una funcionalidad reducida y un número limitado de usuarios. El primer "Tier" (nivel de precio) posterior rondará los 10 dólares por usuario a partir de quince usuarios. Desde el punto de vista funcional, la gama de Scrum digital y de herramientas ágiles es tan amplia que es difícil para el "Agilista" principiante hacer una elección, y mucho menos la elección correcta. Es por eso que aquí hemos dado una visión general. Esto no es, por supuesto, una visión general exhaustiva; el rango de literalmente cientos de aplicaciones es demasiado amplio para eso.

Empezamos con algunas herramientas básicas que son completamente gratuitas: Trello y Slack. Si la facilidad de uso y los informes de progreso juegan un papel esencial desde el principio, Asana es una buena opción para organizaciones y equipos más pequeños. Una solución más robusta es aconsejable para organizaciones más grandes que quieran implementar los Ágiles ampliamente. La combinación de Atlassian de Jira Core, Confluence y Stride, ofrece una solución en este caso. Tenga en cuenta el hecho de que el cambio de su aplicación actual a una nueva aplicación puede ser una gran complicación. Por lo tanto, siempre tome una decisión muy pensada y comunique las cosas con el equipo de Scrum. Aquí están las opciones para que usted pueda empezar:

Opción 1: Usar las herramientas libres y simples como Trello y Slack para equipos pequeños. Trello es un administrador de flujo de trabajo basado en el tablero Kanban y tiene una versión gratuita con tableros ilimitados, listas, mapas, miembros, listas de control y archivos adjuntos. Trello es muy fácil de usar y tiene una curva de aprendizaje relativamente sencilla. El material de instrucción está bien elaborado y proporciona rápidamente el conocimiento suficiente para poder utilizar la plataforma. La versión gratuita es muy recomendada para iniciar equipos de Scrum. Slack es una herramienta de mensajería y tiene una versión gratuita con una duración ilimitada, pero con un almacenamiento limitado de 5GB y 10.000 mensajes. Sin embargo, es más que suficiente para los equipos pequeños que quieran probarlo. El Plan Estándar de Slack cuesta alrededor de 7,25 dólares por usuario al mes.

Opción 2: La herramienta Scrum Asana es genial para equipos más grandes, y cuando una organización quiere llevar a cabo varios proyectos simultáneamente. Asana es una herramienta Scrum muy utilizada que combina un flujo de trabajo y un gestor de proyectos con una excelente funcionalidad de mensajería y colaboración en equipo. Asana tiene buenas funciones de reporte que permiten conocer el progreso de los distintos proyectos con un solo clic del ratón. Hay un plan gratuito para hasta quince usuarios y un plan premium por alrededor de 9,99 dólares por usuario al mes.

Opción 3: Escalar proyectos más grandes y complejos con el software de calidad empresarial de Atlassian. Esto viene con una combinación de los siguientes productos de Atlassian: Stride (una herramienta de mensajería muy completa); Confluence (un portal de documentación y colaboración); y Jira Core (una aplicación de gestión de proyectos y flujo de trabajo).

El equipo también podría usar cosas como la G Suite de Google. Usar G Suite de Google puede ayudar a crear artefactos Scrum y mantener solo una versión de ellos. De esta manera, estos documentos pueden ser actualizados en tiempo real, y los miembros del equipo pueden ser invitados a tener permisos exclusivos de lectura. Esto es importante porque el Product Backlog y otros artefactos son muy dinámicos. Durante un proyecto, las cosas pueden cambiar. Por lo tanto, los requisitos o los ítems del Product Backlog pueden cambiar también, y podría ser útil para el equipo tener acceso digital a esta información.

Conclusión

Debido a los avances tecnológicos, se ha generado un cambio en la forma en que debemos tratar los proyectos. Se necesitan nuevos métodos para abordar proyectos dinámicos que cambian constantemente de alcance. En este libro, *Scrum: Lo que Necesita Saber Acerca de Esta Metodología Ágil para La Gestión De Proyectos* profundizamos en el mundo de las metodologías ágiles y específicamente en una de las más destacadas de la categoría: Scrum. No cabe duda de que el uso de Scrum puede impulsar el éxito de su proyecto a nuevas alturas. Este libro ha demostrado que es posible hacer más con menos.

En el capítulo uno, analizamos las metodologías de gestión de proyectos del pasado y del presente. Aprendimos que los métodos tradicionales, como el método en cascada, están lejos de ser ideales en el mundo dinámico de hoy. Este dinamismo requiere un método que permita una mejora continua, un trabajo iterativo y reajustes rápidos. Un enfoque como el de Scrum es la solución para los problemas actuales de gestión de proyectos.

Los fundamentos de Scrum se explicaron en el capítulo dos. En el capítulo tres aprendimos sobre los tres roles cruciales de Scrum: El Propietario del Producto, el Scrum Master y el Equipo de Desarrollo. Todos ellos trabajan hacia un objetivo común, pero tienen diferentes responsabilidades. En el capítulo cuatro, analizamos más de cerca cómo se puede formar un gran equipo de Scrum que produzca los resultados deseados. Además, en los capítulos cinco, seis y siete, dimos más detalles sobre los artefactos de Scrum, las ceremonias y cómo funciona un proyecto de Scrum en la práctica. Por último, le dimos un vistazo a las métricas de Scrum, los errores comunes y algunos softwares útiles para comenzar sus proyectos de Scrum.

En Scrum se utiliza un enfoque iterativo para optimizar la previsibilidad y mantener los riesgos bajo control. Ahora usted sabe que hay tres pilares que lo diferencian de otras metodologías, estos son: transparencia, inspección y ajuste/adaptación.

Por lo tanto, ¿está usted dispuesto a adoptar estos ágiles conceptos, valores y mejores prácticas para crear y proporcionar más valor para usted, su organización y sus clientes? ¿A qué está esperando? ¡Vaya y ponga en práctica estas cosas y vea por sí mismo lo que el método Scrum puede ayudarlo a usted y a su equipo a lograr!

Lightning Source UK Ltd.
Milton Keynes UK
UKHW022318271220
375877UK00004B/608